Moordjongens

Ginny Mooy

Moordjongens

Manteau

© 2009 Uitgeverij Manteau / Standaard Uitgeverij en Ginny Mooy
Standaard Uitgeverij nv, Mechelsesteenweg 203, B-2018 Antwerpen
www.manteau.be
info@manteau.be

Omslagontwerp: Johny Van de Vyver
Foto omslag: Getty Images
Vormgeving binnenwerk: 5nul8 Grafische Producties, Valkenburg a/d Geul
Foto achterplat: Ginny Mooy

ISBN 978 90 223 2346 5
D/2009/0034/127
NUR 284

Andy

Een harde klap landt op zijn schouder.

'Hé Idrissa! Vriend! Alpha Sesay, je kunt me niet wijsmaken dat je me bent vergeten.' De jongen glimlacht vrolijk, terwijl hij Idrissa's hand vastgrijpt en er vriendschappelijk in knijpt.

Idrissa zucht onhoorbaar. Natuurlijk had hij het gesis van Alpha wel gehoord, maar hij had net willen doen alsof, om een gesprek met de jongen uit de weg te kunnen gaan. Idrissa neemt zijn oude vriend van top tot teen op, ze hebben elkaar in geen vier jaar gezien. Alpha moet nu net iets ouder dan twintig zijn, twee jaar jonger dan hijzelf, maar de jongen heeft het duidelijk een stuk beter dan hij. Zijn zwarte kroeskrulletjes zijn netjes gladgeschoren, hij heeft aardig wat vlees op zijn botten en in zijn nagelnieuwe kostuum ziet hij eruit om door een ringetje te halen. Idrissa onderdrukt de steken van jaloezie die hij door zijn lijf voelt trekken, veinst een glimlach en trekt zijn smoezelige bloes recht.

'Alpha, man, nee natuurlijk herken ik je, al is het een eeuwigheid geleden! Hoe is het met je, man?' Idrissa beantwoordt Alpha's handdruk zo hartelijk als hij kan.

Alpha lacht opnieuw zijn hagelwitte tanden bloot en sluit Idrissa vriendschappelijk in zijn armen. 'Met mij gaat het

voortreffelijk! En met jou, man? Wat doe je tegenwoordig?'
Een golf van misselijkheid trekt door Idrissa's maag. Die
vraag was nou precies de reden waarom hij Alpha had
willen ontlopen. Gemaakt achteloos antwoordt hij: 'Ach, je
weet wel, dit is Sierra Leone, ik doorsta het lijden.' Het is
het standaardantwoord dat de meeste jongeren geven op
moeilijke vragen. Sierra Leone is het armste land ter
wereld, en bijna iedereen lijdt. In een land waar bijna de
hele bevolking straatarm is, zegt zo'n antwoord niets.
Hoewel Idrissa diep in zijn hart helemaal niet wil weten hoe
Alpha's leven er voor staat, ontkomt hij er niet aan hem
dezelfde vraag te stellen. 'En jij?' vraagt hij daarom. Hij
heeft zijn stem niet goed onder controle, waardoor zijn
desinteresse duidelijk hoorbaar is, maar daar laat Alpha
zich niet door ontmoedigen.
'Net als jij, man, het leven is één grote strijd', antwoordt hij.
'De universiteit treitert ons studenten maar al te graag met
hoge collegegelden en loodzware opdrachten, maar ik hou
het hoofd aardig boven water.'
'O, ga je naar de universiteit? Werkelijk?' vraagt Idrissa
quasi verbaasd. Hij had niet anders verwacht.
'Ja man, tweede jaar alweer. Fourah Bay College.
Rechtenstudie. Als ik de academische lijdensweg overleef,
ben ik over een dikke twee jaar advocaat.' Terwijl Alpha
praat slaat hij Idrissa een paar keer vriendschappelijk op de
rug. 'Maar jij ligt vast een eind op me voor. Njala
University?' vraagt Alpha geïnteresseerd.
Idrissa lacht, maar inwendig knapt er iets. Njala is de
andere universiteit in Sierra Leone, en hoewel hij nu
makkelijk in zijn derde jaar had kunnen zitten, heeft hij de
universiteitsbanken nooit gehaald. Alpha was nooit een

licht op school, en Idrissa herinnert zich nog goed dat hij de jongen ooit bijles gaf. God, wat was het moeilijk geweest om hem iets te leren, en nu is de jongen hém voorbijgestreefd. Het is niet Alpha's schuld, dat weet hij maar al te goed, maar toch haat hij de jongen erom. Het zoontje van het schoolhoofd van de middelbare school. Idrissa woonde bij hen in, toen de oorlog net afgelopen was. Zonder de familie Sesay had hij zijn middelbareschooldiploma niet eens kunnen halen, want er was verder niemand die hem in huis had willen nemen en zijn school betalen. De familie was goed voor hem geweest, en daar zou hij eigenlijk dankbaar om moeten zijn, maar toch lukt hem dat niet. Beschaamd bestudeert Idrissa de versleten punten van zijn schoenen, terwijl hij binnensmonds murmelt: 'Nee, geen Njala, geen Fourah Bay College, helemaal geen school.'
'Hè, dat is nou verrotte jammer man!' zegt Alpha. 'En je was altijd zo intelligent. Hoe komt dat zo?' Alpha wacht het antwoord niet af. In de verte ziet hij een van zijn studiegenoten, op wie hij na een vluchtig afscheid snel afrent. Nu hij weet dat Idrissa niet studeert, is hij plotseling niet interessant meer. Studenten in Sierra Leone voelen zich nou eenmaal te goed om met ongeschoolde jongens om te gaan.

Idrissa blijft verbouwereerd achter. In zijn zak brandt de vijf euro die hij als oprotpremie van de houtwinkel heeft gekregen, waar hij bijna een jaar gewerkt heeft. Vijf euro! Daar kan hij thuis nooit mee aan komen zetten, zijn vriendin vilt hem levend. Hun zoontje ligt met ernstige malaria in het ziekenhuis, hoe moeten ze nu in godsnaam voor de behandeling betalen? De harde muziek in de bar aan de overkant van de straat haalt hem over het op een zuipen te zetten. 'Dronken worden, een jointje roken, even geen problemen meer', zegt hij tegen zichzelf, terwijl hij naar de bar toeloopt en zich moedeloos in een van de stoelen laat zakken. Als hij de eerste slok van zijn fles kleffe poyo, palmwijn, neemt, komt een grote groep schoolkinderen voorbij. Ze maken een hoop herrie, wat hem mateloos irriteert. Nog een jaartje en dan moet zijn eigen zoon naar de kleuterschool, als hij het geld op kan hoesten tenminste. Hij neemt een tweede slok, en een derde, en giet dan de halveliterfles in één teug achterover. Het heeft geen effect, behalve dat hij er nog meer dorst van krijgt.

Een jongen met kapotte slippers en een afgeragde spijker-broek komt naast hem zitten, zijn ontblote bast parelt van het zweet. 'Valt hier nog wat te sucken?' vraagt hij. 'Ik geef geld voor een peuk als jij de marihuana betaalt.'

Het is een beroerde deal, maar Idrissa is blij met het gezelschap en stemt daarom in.

'Wat een klotedag, hè!' zegt de jongen.

'Nou', antwoordt Idrissa, terwijl hij een zakje marihuana koopt en een joint begint te rollen. Verder wordt er niet gepraat. De twee roken zwijgzaam samen, ieder in hun eigen gedachtewereld.

Vanwaar hij zit heeft Idrissa een goed uitzicht op de straat. Het is één grote, troosteloze armoede wat hij om zich heen ziet. Slechts heel af en toe komt er een dure auto voorbij sjezen, voor de rest lopen er zowat alleen maar jonge kinderen gekleed in lompen door deze straat. Een eindje verderop staat Alpha Sesay met een groepje medestudenten te praten, ze hebben de grootste lol. 'Opschepper', zegt Idrissa jaloers, terwijl hij zijn tweede fles palmwijn aan zijn lippen zet. Híj had daar moeten staan, niet Alpha, die jonger is dan hij en bovendien zo stom is als het achtereind van een varken. Alpha heeft gewoon het domme geluk dat zijn vader zijn studie kan betalen, want als het om intelligentie was gegaan, had Idrissa de strijd geheid gewonnen. Idrissa's vader was ooit rijker dan Alpha's vader ooit zal zijn. Als zijn vader de oorlog zou hebben overleefd, zou Alpha nu jaloers op hém zijn.

Met iedere slok die hij neemt, wordt Idrissa's woede op Alpha groter en groter. 'De kleine, waardeloze etter', prevelt hij in zichzelf. 'Er was een tijd dat jongetjes als hij me smeekten ze in leven te laten. Een paar jaar geleden lag ik dagen achtereen in loopgraven zodat jongetjes als Alpha veilig naar school konden, maar is hij daar dankbaar voor? Ho maar.' Na de oorlog heeft hij stank voor dank gekregen, en nu werd hij na een jaar trouwe dienst door zijn baas met vijf euro de laan uitgestuurd. Alleen omdat de man erachter is gekomen dat hij kindsoldaat is geweest. Hij doet er voor niemand iets toe, ook niet voor zijn vriendin, want hij weet wel zeker dat ze hem de schuld van zijn ontslag zal geven.

'Het was toch een klotebaan', zegt hij onbewust hardop.

'Waar heb je het over, man?' zegt de jongen naast hem. 'Zit niet te lullen en geef die joint eens door!'

'Ik ben net ontslagen', antwoordt Idrissa zuchtend, terwijl hij de jongen de joint tussen zijn vingers drukt.

'Dat is balen zeg.'

'Ja, dat mag je wel zeggen. Mijn zoon moet vanavond een tweede infuus voor zijn malaria, en je weet hoe het gaat in dit land, als je niet vooraf kan betalen, geen behandeling. Moet ik gewoon toekijken hoe mijn zoon sterft omdat mijn baas een vooringenomen zak is?'

'Wat dan man?' vraagt de jongen.

'Een jaar lang heb ik voor die blaaskaak gewerkt, voor een schijntje. Een jaar lang geen enkel probleem, maar zodra hij erachter kwam dat ik gevochten heb in de oorlog, stond ik zonder pardon op straat. "Ex-kindsoldaten zijn gevaarlijk", zei hij. En dat was het.'

'Jezus Christus!' zegt de jongen. Zijn stem klinkt samenzweerderig. 'RUF?'

'RUF, ULIMO, Kamajors, ik heb zo'n beetje bij alle gewapende groeperingen in Liberia en Sierra Leone gevochten.'*

'Ik was RUF, Kamp Zagoda, een van Musquito's jongens. Babykiller', stelt de andere jongen zichzelf voor en steekt zijn hand uit ter kennismaking. 'Ik had ooit een behoorlijke reputatie', lacht hij trots.

Hoofdschuddend neemt Idrissa zijn hand aan. 'Idrissa', antwoordt hij. Hij voelt geen enkele behoefte met zijn oude bijnaam te pronken, en hij heeft er spijt van dat hij het onderwerp ter sprake heeft gebracht. Het laatste waar hij op zit te wachten is stoere oorlogspraat. De RUF was een rebellenleger dat verantwoordelijk was voor de vernieling van Sierra Leone. Musquito was een van de meest beruchte leiders van de RUF. Zijn jongens waren wreed en meedogenloos en dat is dus nauwelijks iets om, nu het vrede is, mee te pronken.

* De RUF was het rebellenleger van Sierra Leone. De afkorting staat voor Revolutionary United Front, vertaald: Verenigd Revolutionair Front.
ULIMO was een van de rebellenlegers in Liberia. De afkorting staat voor United Liberation Movement of Liberia, vertaald: Verenigde Beweging voor Bevrijding.
De Kamajors waren een burgerleger in Sierra Leone, dat werd gestart door burgers om hun eigen gebieden tegen de rebellen te verdedigen.

De jongen vertelt uitgebreid over zijn tijd bij het rebellen-leger RUF, en Idrissa drinkt de ene na de andere fles palmwijn leeg. Vier uur later, als het donker is, gaat hij op weg naar huis. Onderweg passeert hij het ziekenhuis waar zijn zoontje op behandeling wacht. Even overweegt hij uit de *podapoda* te stappen, een minibusje dat dienst doet als openbaarvervoermiddel. De tranen wellen op in zijn ogen als hij zich bedenkt dat hij het kleine beetje geld dat hij nog had, zojuist heeft uitgegeven aan alcohol en drugs. Hij vindt zichzelf een waardeloze vader. De podapoda gaat sneller rijden en langzaam raakt het ziekenhuis uit het zicht.

Het is al na middernacht als hij wakker wordt van een trap in zijn zij. Hoewel het aardedonker is, kan hij de woedende schittering in de ogen van zijn vriendin zien. Ze trapt hem nog een keer en raakt hem pijnlijk hard in zijn ribben. Als hij haar voet nog een keer op zich af ziet komen, graait hij ernaar en grijpt haar hiel stevig vast om zich te verdedigen. Hawa verliest haar evenwicht en komt met een harde plof op de grond terecht. Het gesmoorde kindergehuil dat er bijna direct op volgt snijdt hem door merg en been. Ze had het kind in haar armen, en nu hebben ze beiden een harde smak gemaakt.
Hij tast het donker af om het kind op te pakken. Het hoofdje van de driejarige jongen is gloeiend heet. Hij krijgt de kans niet de peuter van de grond te tillen, omdat zijn vriendin zich op hem stort en hard op hem in begint te slaan.
'Hawa, hou op, in godsnaam, de jongen is gevallen', roept Idrissa smekend.
'De jongen, de jongen', gilt zijn vriendin hysterisch. 'Alsof

die jongen jou iets kan schelen! Ze hebben ons het ziekenhuis uitgegooid omdat je niet kwam opdagen om te betalen voor zijn behandeling. Jij zou hem zo dood laten gaan, nietsnut! Je bent een waardeloze vader!'

'Hawa, toe', probeert hij haar te kalmeren. Als dat niet werkt, gaat hij met zijn volle gewicht boven op haar liggen om haar in toom te houden. 'Hawa, kalmeer nu, Andy heeft onze hulp nodig', zegt hij, terwijl hij haar kin stevig tussen zijn vingers geklemd houdt.

Hawa probeert zich uit alle macht los te wurmen. 'Je hebt gedronken, je bent gewoon dronken!' schreeuwt ze vol ongeloof. 'Jij vieze, vuile, smerige, ellendige lamstraal! Dronkenlap! Je bent geen knip voor de neus waard. Jij zit je gewoon vrolijk vol te gieten, terwijl je zoon voor zijn leven ligt te vechten? Oprotten, wegwezen! Ga mijn huis uit! Ik kan wel een betere vader voor mijn kind vinden. Eruít, eruit, eruit, zeg ik je!'

Hawa gaat volkomen door het lint. Het is haar huis, dat is waar, en eigenlijk heeft Idrissa er nu ook wel genoeg van. Terwijl hij zijn kleren aantrekt, probeert Hawa hem te raken waar ze maar kan: haar vuisten landen op zijn gezicht, zijn borstkas, zijn rug en op zijn hoofd. Hoewel ze verdomd hard kan slaan, laat hij haar begaan. Met zijn schoenen in zijn hand verlaat hij de kleine *panbodi*, een huisje niet groter dan een hut dat is gemaakt van golfplaten.

Terwijl hij zich voor de deur afvraagt of hij echt weg moet gaan, of gewoon buiten tegen de panbodi aan zal slapen, barst Hawa binnen in een hysterische huilbui uit. Hun zoontje ligt nog steeds op de vloer te krijsen. Bij het zachte schijnsel van een olielampje houdt een van de plaatselijke hoertjes, aan de overkant van de straat, een biertje voor hem omhoog. Ze is slechts gekleed in een handdoek en maakt een uitnodigend gebaar naar binnen. Haar zoete glimlach haalt hem over. Hij stapt snel in zijn schoenen en loopt naar het huis van het hoertje.

'Hé schatje', begroet ze hem. 'Kom maar lekker uithuilen op de zachte borsten van Fatmata, hoor. Ik zal je wel troosten. Wat heb je voor me bij je?'

'Het is niet veel vandaag, Fatmata', antwoordt hij en laat haar de inhoud van zijn broekzak zien. Het is nog geen vijftig cent bij elkaar.

Fatmata haalt afkeurend haar neus op. 'Je hebt geluk dat ik moe ben en ik geen zin heb in dat gekrijs van jullie de hele nacht', zegt ze en grist de munt uit zijn hand. 'Je mag vijf minuten, rechttoe rechtaan, en daarna slapen. Omdat ik beter van je gewend ben, maar om acht uur 's ochtends moet je wegwezen.'

Idrissa geeft een instemmend knikje. Als Fatmata de deur dichtgooit, kan hij Hawa's hysterische gejank nog steeds horen.

Om zeven uur 's ochtends wordt er ongeduldig op de deur geklopt. Fatmata draait zich knorrig op haar andere zij en gebiedt Idrissa de deur open te doen. 'Het is vast dat hysterische vrouwtje van je, voor dat gedonder kom ik echt mijn bed niet uit', zegt ze chagrijnig, terwijl ze Idrissa een harde por in zijn zij geeft. Idrissa's slapen bonzen als een bezetene. Het bier en de palmwijn van gisteravond spelen hem parten. Vloekend staat hij op en slentert naar de deur. Nog voordat hij de deur bereikt heeft, hoort hij zijn schoon-moeder indringend zijn naam roepen.

'Idrissa, Idrissa, je zoon heeft nú je hulp nodig!' roept ze.

Idrissa vliegt naar de deur en trekt die razendsnel open.
'Andy?' vraagt hij verward, terwijl hij in de verbitterde ogen
van Hawa's moeder kijkt. 'Is er iets met Andy gebeurd?'
'De jongen heeft zware koorts, je kunt 'm niet eens meer
aanraken, zo gloeiend heet is hij. Als we niets doen gaat hij
dood, we moeten nu direct naar het ziekenhuis', zegt de
vrouw op kalme toon.
Idrissa zucht diep. 'Maar... er is geen geld... ik heb... ze
hebben me ontslagen. Ik heb niets, nog geen vijftig cent',
stamelt hij. Hij werpt een beschaamde blik op Fatmata, die
net doet alsof ze het niet hoort en demonstratief luid begint
te snurken.
'Ik heb wat geld kunnen lenen', zegt de vrouw aan de
voordeur sussend. 'Ik verdien het later wel weer terug.' Ze
haalt haar vingers door haar zwarte haar, dat steeds meer
op een verwarde spinrag begint te lijken. Het gezin van haar
dochter zit voortdurend in de financiële problemen,
waardoor zij zich al maanden tien slagen in de rondte moet
werken om het geld bij elkaar te sprokkelen. Ze kan zich de
laatste keer dat ze haar haar heeft kunnen laten verzorgen
en invlechten nauwelijks meer herinneren.
'O, mama, echt?' vraagt Idrissa verbitterd. Diep vanbinnen
schaamt hij zich kapot dat zijn schoonmoeder hem weer uit
de ellende moet trekken, maar hij heeft geen andere keuze.
Hij doet zijn best zo nederig mogelijk te klinken als hij haar
bedankt en vooroverbuigt om haar voeten te strelen om
haar respect te betuigen. Dat is gebruikelijk in Sierra Leone.
'Hup, trek je broek aan, maak voort', zegt de vrouw. Ze wijst
met een verwijtende vinger naar zijn boxershort, die bij de
gulp half openstaat. 'We vertrekken binnen vijf minuten.'
Haastig gaat Idrissa op zoek naar zijn spijkerbroek en zijn

bloes. Zijn kleren stinken een uur in de wind, naar drank en sigaretten, waardoor zijn schuldgevoel nog groter wordt. Hawa heeft gelijk, ik ben een waardeloze zak, ik kan niet eens voor mijn eigen gezin zorgen, denkt hij moedeloos. Aangekleed opent hij de voordeur, trekt snel zijn schoenen aan en loopt dan naar de klaarstaande podapoda. Hij vliegt bijna van het opstapdrempeltje af als de chauffeur plankgas geeft, terwijl hij nog niet eens goed en wel is ingestapt. 'Schiet eens op jij, we hebben niet de hele dag de tijd', wordt er vanachter hem geroepen. Hij krijgt een harde zet in zijn rug, waardoor hij met zijn ribben hard op de schouder van Hawa, die al in het busje zat, terechtkomt. De jonge bijrijder springt snel achter hem aan naar binnen en gooit de schuifdeur met een harde klap dicht. De bijrijder rijdt achter in het busje mee om passagiers te lokken, ze in- en uit te laten stappen en hun ritgeld in ontvangst te nemen. Hij is een jaar of veertien. Idrissa herkent hem van het Kamajorleger, waar hij wapens droeg voor de vechters. Hij was een van de laatste rekruten. De jongen had mazzel gehad; als de oorlog langer had geduurd, was ook hij als vechter geëindigd. Idrissa probeert oogcontact te maken, maar de bijrijder kijkt met samengeknepen oogjes langs hem heen. Geen spoor van herkenning. Idrissa besluit het zo te laten en probeert op het bankje naast Hawa plaats te nemen. Maar Hawa wijkt geen centimeter, zodat hij op één bil moet gaan zitten, terwijl de andere in de lucht blijft zweven. Zijn zoontje ligt lusteloos in Hawa's armen. Zelfs van deze afstand kan hij de hitte van het lichaam van zijn zoon duidelijk voelen. Zijn ogen zijn groot en hebben een troebele waas.

'Hé Andy, jongen', zegt hij op een zoetig toontje. Hij steekt

zijn vinger uit om de jongen speels over zijn wangetje te strelen, maar Hawa trekt de jongen snel bij hem weg. 'Ik mag mijn zoon toch wel...' stamelt hij verbijsterd. 'Niets jouw zoon', zegt Hawa geïrriteerd. 'Als het aan mij had gelegen, had je voorgoed mogen vertrekken, vuile egoïst.' 'Hawa, houd je in, denk aan je zoon, die is er niet bij gebaat als zijn vader en moeder elkaar constant in de haren vliegen', klinkt het vanachter hen. Hawa's moeder werpt een waarschuwende blik naar Idrissa. 'En jij, jongeman,' vervolgt ze, 'laat Hawa met rust, ze heeft wel genoeg te verduren gehad.'
Idrissa gnuift verontwaardigd. 'En ik niet zeker', zegt hij binnensmonds. Hij voelt zich eenzaam en onbegrepen, maar hij doet er verder het zwijgen toe.

In het ziekenhuis wordt Andy met spoed aan een infuus gelegd. De familie moet in de wachtkamer plaatsnemen. De hoge koorts heeft het lichaam van de driejarige jongen zo ernstig verzwakt, dat de dokter niet weet of de jongen het wel zal overleven.
Na een lang uur van gespannen afwachten komt een van de verpleegsters de wachtkamer binnenlopen en begint de familie uit te foeteren: 'Nu hebben jullie het echt gedaan! Dit gaat de jongen echt niet overleven. De koorts heeft hem volledig uitgedroogd, zoiets kan zo'n peuter helemaal niet aan. Jullie hadden hem nooit uit het ziekenhuis mogen halen. Als de jongen doodgaat, hebben jullie dat op je geweten. Jullie zijn een stel onverantwoordelijke ouders!' De verpleegster wijst een verwijtende vinger in de richting van Hawa en Idrissa.
Hawa springt op van het lage houten bankje tegen de

muur. 'Júllie? Júllie?' briest ze. Ze is razend. 'Ik werk me dag en nacht uit de naad om mijn gezin te kunnen voeden. Ik ben nooit naar school geweest, ik kan niks, en van pinda's verkopen kan ik echt geen dure ziekenhuisrekeningen betalen. Híj! Híj!' schreeuwt ze. Haar stem weerkaatst luid tegen de kale betonnen muren van het ziekenhuis. Ze is uitzinnig van woede. 'Hij daar is het probleem!' Haar vinger boort zich hard in Idrissa's borstkas. 'De nietsnut kan alleen maar zuipen en blowen, en als er problemen zijn laat hij gewoon zijn broek zakken voor een goedkoop hoertje. Híj heeft een middelbare-schooldiploma op zak, maar kan hij een goede baan vinden? Ho maar! Hij wordt aan de lopende band ontslagen.'

Iets in Idrissa knapt. Hij heeft een jaar lang bij de houtwinkel gewerkt. Hij had er weliswaar geen vaste uren of dagen, maar hij heeft het er toch een jaar volgehouden. Hoezo aan de lopende band ontslagen? Daar klopt helemaal niets van, en dit ontslag was niet eens zijn schuld. 'Je bent een nietsnut en een klaploper. In plaats van voor je zoon te zorgen, moest jij je zo nodig vol laten lopen vannacht. En hoeveel geld heb je eigenlijk aan dat hoertje uitgegeven, bij wie je bent blijven slapen?' Hawa's harde woorden echoën door de wachtkamer. Alle andere aanwezigen kijken hem geschokt aan. Hawa wil verder tieren, maar dan heeft hij er genoeg van.

'Ja hoor eens', zegt hij op boze toon, terwijl hij op Hawa afloopt om haar te kalmeren.

'Ja, wat wil je nu doen? Wil je me slaan?' gilt ze. 'Rebel! Rebel! Je bent geen haar veranderd! Je bent nog steeds een rebel! Een beetje met geweld dreigen... zoiets kun je wel

verwachten van een ex-kindsoldaat, ja. Liberiaanse rebel!'
Dan kan hij zich niet meer inhouden. Hawa is volkomen
onredelijk; hij heeft helemaal niet met geweld gedreigd. Uit
frustratie trapt hij hard tegen het houten bankje, dat luid
kraakt als het tegen de muur botst.
'Ex-kindsoldaten', zegt een van de vrouwen, terwijl ze
verwijtend haar hoofd schudt.
'Nou, inderdaad, gevaarlijke jongens', stemmen de andere
aanwezigen in.
Hawa kijkt hem met een boosaardige grimas aan.
'Liberiaanse rebel!' roept ze nog een keer honend naar hem.
Idrissa's hoofd wordt zwaar en zijn slapen beginnen hard te
bonken. Hij zit vreselijk in de rats over de gezondheid van
zijn zoon, en eigenlijk zou hij het ziekenhuis liever niet
verlaten. Maar hij voelt een woedeaanval opkomen en hij
wil Hawa niet haar zin geven door zijn geduld te verliezen.
Daar staat ze hem nu juist toe uit te dagen. Met grote
stappen beent hij de wachtkamer uit, naar de uitgang.
Als hij naar buiten stapt, hoort hij de verpleegster treiterend
zeggen: 'Watje, wat ben jij nou voor vent? Je hebt je vrouw
niet eens in de hand. Ze heeft een flinke afranseling nodig,
zo doen echte mannen dat in Sierra Leone. Dat pik je toch
zeker niet?'
Idrissa negeert de vrouw en loopt snel naar de overkant,
waar hij begint te ijsberen om zijn woede in bedwang te
krijgen. Hij laat zich onder geen beding op de kast jagen.
Hawa's moeder heeft gelijk: zijn zoon is er niet bij gebaat
als zijn vriendin en hij elkaar in de haren vliegen.

Drie dagen later staat hij onzeker bij Hawa voor de deur. Hij
geeft een aarzelend klopje op de golfplaten deur van de

panbodi, die bijna uit de sponning valt. De deur vliegt bijna
direct open, ze moet hem aan hebben zien komen. Boos
wijst ze op een bundel die vlak naast de deuropening op de
grond ligt. Zij heeft al zijn kleren in een grote doek
gewikkeld en een dikke knoop in het geheel gelegd. Hij
moet wegwezen, dat is wel duidelijk.
'Hoe is het met Andy?' vraagt hij met samengeknepen
stem. De jongen zit in een hoekje van de kamer met een
paar stokken te spelen. Hij is ernstig vermagerd, maar ziet
er verder levendig en vrolijk uit. De dokter heeft Idrissa
verteld dat de jongen er wel weer bovenop zal komen.
Als hij op de peuter wil toelopen, begint die naar hem te
lachen en te kirren. 'Papa, papa!' roept hij blij.
Dan verspert Hawa hem de weg. Met een resoluut gebaar
wijst ze naar de geïmproviseerde knapzak bij de deur. 'Mijn
huis uit', zegt ze vastbesloten. 'Ik wil geen rebel in mijn
huis. Wegwezen nu, voordat ik de politie erbij haal.'
Haar proberen te overtuigen heeft geen zin weet hij, dit
is wel vaker gebeurd. Hij weet dat Hawa onverbiddelijk
kan zijn, en hij besluit dan ook niet tegen haar in te
gaan.
Zwijgend loopt hij naar de deur, zet de knapzak op zijn
hoofd en gaat naar buiten, waar hij bijna tegen Hawa's
moeder opbotst. Afkeurend schudt de vrouw haar hoofd en
neemt de knapzak van hem over. 'Heb je iets gegeten?'
vraagt ze hem.
'Al in geen dagen', antwoordt hij.
Ze gebaart hem mee te lopen naar de kleine openluchtkeuken achter de panbodi. Op het houtvuur staat een oranje
stoofschotel in een zware gietijzeren pan te pruttelen.
'Nog een halfuurtje geduld, het vlees is nog niet gaar', zegt

ze. Ze zet een laag rieten krukje voor hem neer en geeft hem een beker water. 'Je ziet er beroerd uit, waar heb je de afgelopen dagen gezeten?' vraagt ze hem.

'Bij de haven', antwoordt hij, terwijl hij het glas water met grote teugen leegdrinkt.

'Waarom hang je bij de haven rond?' wil de vrouw weten.

'Ik was op zoek naar geld, werk, mensen van wie ik iets kon bietsen. Ik dacht dat als ik met genoeg geld terug zou komen, Hawa me misschien zou kunnen vergeven.'

'En?'

'En wat? Je hebt het gezien, mama, ze wil me niet eens de kans geven het uit te leggen.'

'Ik bedoel of je geld hebt.'

'Ja', antwoordt hij zuchtend. Uit zijn broekzak haalt hij veertig euro tevoorschijn, die hij aan Hawa's moeder overhandigt. Het is een klein kapitaal, meer dan een gemiddeld maandsalaris. 'Is dat genoeg voor de ziekenhuisrekeningen?'

De vrouw knikt instemmend. 'Het is zelfs te veel, wacht even, dan kijk ik of ik je wisselgeld kan geven', zegt ze en staat op om haar handtas te pakken.

'Nee laat maar', zegt Idrissa afwijzend. 'Je hebt zoveel voor ons gedaan, daar mag ook wel een keer iets tegenover staan.'

De vrouw geeft hem een dankbaar knikje. 'Hoe kom je eigenlijk aan het geld?' vraagt ze. 'Heb je een nieuwe baan gevonden?'

Idrissa haalt zijn schouders op. 'Nee, geen nieuwe baan, ik kon wat dingetjes verkopen voor een vriend van me, die in de havens werkt. Maar dat is geen vast werk, ik ben op zoek.'

'Nou ja, je probeert het tenminste', zegt de vrouw. Met een

grote soeplepel schept ze een bord vol met rijst uit de stoofpot en overhandigt dat aan Idrissa. Dankbaar schrokt hij het volle bord binnen twee minuten leeg. Zijn maag krimpt samen om het voedsel. Na twee borden heeft hij nog steeds honger.

Na een paar dagen over straat gezworven te hebben, vindt Idrissa onderdak bij een oude man die wel wat hulp in huis kan gebruiken. Zijn vrouw is een paar weken geleden overleden, en omdat zij altijd het huishouden verzorgd had, kon de man zich nu in zijn eentje niet redden. De man woont in een kleine panbodi met maar één slaapkamer. Idrissa mag in de piepkleine woonkamer slapen, op een rieten matje op de vloer. Hoewel het zeker niet comfortabel is, is het toch beter dan de straat en Idrissa is dan ook dankbaar voor zijn nieuwe onderkomen. De volgende dag laat hij zijn schoonmoeder weten waar hij zit, zodat ze hem weet te vinden als er een noodgeval is.

's Avonds staat Hawa voor de deur. Ze wil met hem praten, bij haar thuis. Idrissa haalt snel twee emmers water uit de waterput, koopt wat brood met smeerkaas en veegt de woonkamer schoon, zodat de oude man niet onverzorgd achterblijft. Zwijgend loopt hij in het donker achter Hawa aan naar haar huis. De wandeling duurt bijna een uur, maar er wordt geen woord gewisseld tussen de twee. Als ze Hawa's panbodi binnengaan, durft hij haar eindelijk te vragen waarover ze wil praten.

'Mijn moeder heeft het me verteld, van het geld. Ik moet je van haar nog een kans geven', zegt ze.

'Je moet me van je moeder nog een kans geven?' vraagt Idrissa verontwaardigd. Hij ziet haar ogen schitteren bij het zwakke schijnsel van de olielamp die ze op de eettafel heeft neergezet. 'Luister eens, Hawa', zegt hij. 'Als je het zelf niet wil, dan hoeft het wat mij betreft niet.' Hij wil zich op zijn hielen omdraaien en weer weggaan.

'Nee wacht', roept Hawa snel. 'Ik ben het met haar eens, ik bedoel, ik wil het zelf ook.'

'Weet je dat zeker?' vraagt hij.

'Ja', antwoordt ze. In haar stem klinkt twijfel door.

'Betekent dat dat ik hier weer mag komen wonen?'

'Nou, laten we daar even mee wachten. Ik denk dat het beter is als je voorlopig ergens anders blijft wonen, dan zien we wel hoe het gaat. Zolang je geen werk hebt, kun je overdag op Andy passen, zodat ik kan werken. 's Avonds eet je hier, en na het avondeten ga je naar je eigen huis.'

Het hele voorstel zint Idrissa niet, maar hij stemt toch in. Hoe naar ze soms ook kan zijn, toch houdt hij van haar en hij wil graag bij zijn zoon in de buurt zijn. Hij moet zichzelf gewoon bewijzen aan Hawa, dan mag hij vanzelf wel weer terugkomen.

'Ik hou van je, Hawa', zegt hij tegen haar. 'Ik zal je niet teleurstellen.'

Zijn vriendin staat op, komt naast hem staan en knoopt de omslagdoek, die ze als rok draagt, los. 'Kom eens mee naar de slaapkamer', zegt ze verleidelijk, terwijl ze in de donkere kamer verdwijnt. Idrissa volgt haar gedwee. Hij heeft haar gemist.

In bed praten ze urenlang met elkaar. Over Andy, die bijna helemaal is hersteld van de malaria en over hun ruzie in het ziekenhuis.

'Zeg eens eerlijk, Hawa', zegt hij, terwijl hij in het donker een sigaret opsteekt. Het gloeiende puntje van de sigaret licht haar gezicht op. 'Heb ik je ooit geslagen, heb ik je ooit mishandeld?'

Ze schudt ontkennend haar hoofd.

'Waarom deed je dan in het ziekenhuis net alsof dat wel zo is? Ik schaamde me kapot tegenover al die mensen.'

'Ik was zó kwaad', antwoordt ze. 'Ik kon me niet beheersen. Ik was in paniek, ik was bang dat Andy dood zou gaan, ik wist niet meer wat ik deed. Het spijt me.'

'Maar het was niet de eerste keer dat je me in het openbaar uitschold voor rebel, dat heb je wel vaker gedaan. En je weet dat je me daarmee kwetst.'

'Ik zei dat het me spijt, Idrissa', zegt Hawa ongeduldig. Het is duidelijk dat ze er niet over wil praten.

'Nee, Hawa. We moeten erover praten', zegt hij beslist. 'Dit gaat zo niet langer. Het is niet eerlijk van je. Als ik je niet uit mezelf verteld had dat ik in de oorlog heb gevochten, dan had je het nooit geweten, of wel soms?'

'Nee, dat niet, maar...'

Hij geeft haar niet de kans haar zin af te maken. 'Nou dan, waarom moet je me dan steeds voor rebel uitschelden? Je zet ons allebei voor schut, begrijp je dat dan zelf niet? Je weet hoe mensen over ex-kindsoldaten denken. Iedereen heeft een hekel aan ons. Hoe kun jij nou met trots naast me lopen als iedereen slechte dingen over me denkt?'

'Ik weet het niet, Idrissa', zegt Hawa ongeduldig. 'Ik doe het niet expres, het floept er gewoon uit. Soms krijg ik van die driftbuien, dan sla ik op tilt, en dan weet ik niet meer wat ik doe. Volgens mijn vriendinnen ligt het aan mijn leeftijd, je moet gewoon een beetje geduld met me hebben.'

Hawa is pas achttien, en ze is nooit naar school geweest.

Het is waar dat ze weinig ervaring heeft, maar er zijn zoveel meisjes in Sierra Leone die net als Hawa op hun vijftiende moeder worden, de zorg voor een heel gezin hebben, en die niet zulke achterlijke driftbuien hebben als Hawa. Hij kent voorbeelden zat.

'Weet je', zegt Hawa. 'Misschien heb ik gewoon een keer een goed pak slaag van je nodig. Maar je weet me nooit eens goed te corrigeren, je laat me gewoon mijn gang gaan, en daar ligt het aan. De mannen van mijn vriendinnen ranselen hen regelmatig af. Ik vraag me soms zelfs af of je wel van me houdt, omdat je me nooit eens slaat.'

Idrissa kan zijn oren niet geloven. Wil ze nou echt dat hij haar slaat? Ja, dat wil ze. Zo disciplineren mannen hun vrouwen in Sierra Leone nou eenmaal. Als zij ongehoorzaam is, verdient ze een pak slaag, legt Hawa uit. Als hij haar niet slaat, interesseert het hem niet wat ze doet, en dat is een teken dat hij niet van haar houdt. Hawa laat hem beloven dat hij niet alles meer van haar zal pikken. Als zij te ver gaat, moet hij haar slaan.

Als hij nog een sigaret opsteekt, gaat Hawa naar de wc. Als ze terugkomt is haar aanhankelijke bui ineens omgeslagen. Haast in paniek zegt ze hem dat hij zich moet aankleden en naar huis moet gaan.

'Eén nachtje kan ik toch wel blijven slapen?' probeert hij. 'Het is al laat...'

'Ja, daarom', zegt Hawa ongeduldig. 'En je moet nog een uur lopen. Je kunt maar beter voortmaken, want ik verwacht je hier morgenvroeg weer om voor Andy te zorgen.'

'Daarom snap ik niet waarom ik niet kan blijven slapen. Ik heb de oude man verzorgd achtergelaten. Voor hem hoef ik niet terug naar huis, en...'

Hawa onderbreekt hem. 'Afspraak is afspraak, Idrissa! Kom op, voortmaken nu. Ik ben moe, ik wil slapen.'
Niet-begrijpend kleedt hij zich aan. 'Ik wil nog even bij Andy kijken', zegt hij.
'Dat kan morgen ook wel, dan heb je hem de hele dag voor jezelf. Hup, naar huis, nu!' Ze begint hem naar de voordeur te duwen. Hij begrijpt niet waarom ze plotseling zo'n haast heeft om hem de deur uit te werken. Dan klinkt uit de hoek van de woonkamer ineens een schelle beltoon. Het display van de telefoon licht fel op in het donker.
'Heb jij een mobiele telefoon?' vraagt Idrissa aan Hawa. 'Hoe kom je aan dat ding?'
'O, gewoon, van een vriendin geleend, zodat ze me kan bellen. Ze woont hier ver vandaan.'
'Welke vriendin? Al jouw vriendinnen zijn net zo arm als jij, die kunnen helemaal nooit een mobiele telefoon betalen, laat staan twee, en dat ding ziet er gloednieuw uit ook nog.'
'Ken je niet', antwoordt ze ontwijkend. 'Een nieuwe vriendin, ik stel je wel een keer aan haar voor. Ga nou maar!'
Idrissa gelooft Hawa's verhaal niet, maar hij besluit niet verder te vragen. Hij blijft buiten voor de deur wachten. Hij hoort zijn vriendin binnen de telefoon opnemen.
'Met Hawa... ja natuurlijk ben ik van de partij... geef me tien minuten, zodat ik me kan opfrissen. Toe nou, doe nou niet zo ongeduldig, ik blijf de hele nacht.' Dan hangt ze op en hoort hij hoe ze zich haastig klaarmaakt om te vertrekken. In haar zondagse Afrikaanse jurk, haar mooiste, die ze normaal alleen naar de kerk draagt, verlaat ze het huis. Hij besluit haar te volgen. Bij de grote weg staat een dure auto op haar te wachten. De wagen heeft geblindeerde ruiten, waardoor hij niet kan zien wie er achter het stuur zit, maar hij durft er iets

om te verwedden dat het een man is. Hawa gaat 's nachts op pad met een vreemde man en laat hun driejarige zoon alleen in huis achter. 'Wat bezielt haar?' vraagt hij zich af.

Hij loopt terug naar de woonwijk en roffelt op Fatmata's deur. Vanuit het huis van het hoertje heeft hij een goed uitzicht op Hawa's panbodi, zodat hij goed in de gaten kan houden dat er niets met zijn zoon gebeurt. Hawa heeft morgenochtend heel wat uit te leggen.

Om halfzeven 's ochtends staat hij al bij haar voor de deur. Hawa is pas een halfuur geleden thuisgekomen en ze heeft nauwelijks de tijd gehad om haar mooie outfit om te wisselen voor een pyjama. Ze geeuwt een paar keer demonstratief als ze de deur opendoet.

'Goh, wat ben jij vroeg zeg!' zegt ze slaperig.

'Ook goedemorgen, schatje', zegt hij gemaakt enthousiast. 'Ik kon niet wachten om je weer te zien. Ik ben zo blij dat je me nog een kans wil geven.' Hij probeert haar op haar mond te kussen en haar tegen zich aan te drukken, maar ze ontwijkt hem.

'Je bent wel erg vroeg hoor, Idrissa', zegt ze geïrriteerd. 'Ik ben nog hartstikke moe.'

'Dat is toch niet erg? Dan gaan we samen nog een uurtje liggen en kruip ik lekker dicht tegen je aan. Maar dan maak ik je eerst nog een beetje moeër', antwoordt hij plagerig, terwijl hij haar zachtjes over haar borst streelt.

'Hè Idrissa, ik ben moe, ik heb geen zin in je geflikflooi. Je zoon heeft me de halve nacht uit mijn slaap gehouden', liegt ze. 'Hij zal wel honger hebben, begin jij maar vast met eten koken, dan slaap ik nog een uurtje en kom ik je daarna helpen. Ja? Je bent een schat.'

Een ader in zijn slaap begint te trillen. Haar leugens maken hem razend, maar hij besluit het spelletje mee te spelen. Slaafs neemt hij de ingrediënten van haar aan en loopt er mee naar de openluchtkeuken. Verbaasd kijkt hij naar de grote homp vlees op het hakblok. Dat is wel iets anders dan de paar dobbelsteentjes die ze normaal gesproken door het eten doen. Hoe komt Hawa in godsnaam aan het geld?

Als het eten bijna klaar is, komt Hawa naar buiten. Ze draagt Andy op haar rug. Voor het eerst sinds de jongen uit het ziekenhuis is, krijgt Idrissa de kans met zijn zoon te spelen.

'Hawa?' vraagt hij op onzekere toon. Hij slingert de kleine jongen als een aapje tussen zijn armen. 'Hawa, waar heb je dat vlees eigenlijk vandaan? Dat moet een kapitaal gekost hebben.'

Hawa haalt ongeïnteresseerd haar schouders op. 'Mijn moeder heeft het gekocht. Je kent mijn moeder, die weet altijd wel dingen te ritselen.'

Idrissa zucht. Hij weet dat het een leugen is. Hij heeft Hawa met eigen ogen met het pakketje zien aankomen vanmorgen; het moet haast wel afkomstig zijn van de eigenaar van de mysterieuze auto. De mobiele telefoon, haar nachtelijke uitstapje en het dure vlees kunnen maar één ding betekenen: Hawa heeft een rijke minnaar.

Hij ziet het constant om zich heen gebeuren: jonge meiden die rijke, getrouwde mannen uitzoeken die hen kunnen onderhouden. In ruil voor seks krijgen ze kleding, eten, dure spulletjes, en ga zo maar door. Hij is teleurgesteld dat Hawa daar nu blijkbaar ook voor gevallen is. Maar meer nog is hij teleurgesteld in zichzelf. Terwijl hij het eten opschept, schaamt hij zich kapot dat een andere man nu voor het vlees betaald heeft. Eigenlijk wil hij kwaad worden op Hawa, maar in feite is híj degene die tekortschiet. Hij is er zelf de schuld van dat dit nu gebeurt. Als hij zijn gezin had kunnen onderhouden, zou Hawa niet de hoer hoeven spelen.

Zwijgend kauwt hij op de grote stukken vlees en kijkt toe hoe Andy smult van de dure maaltijd. Hij zweert bij zichzelf dat hij een manier zal vinden om zelf voor zijn vriendin en zijn zoon te zorgen. Niemand, maar dan ook niemand zal zijn gezin van hem afnemen.

Ysata

Jims slapen bonzen hard aan de binnenkant van zijn hoofd. Happend naar adem slaat hij de laatste hoek om. Hij stopt abrupt met rennen als hij ziet dat de bus nog niet op het station is gearriveerd. Goddank is hij op tijd om zijn vriendin bij de bushalte te verwelkomen. 'Het lef van die griet', vloekt hij hardop. Jim is razend dat Ysata toch naar Freetown is afgereisd, terwijl hij haar ontelbare keren had gewaarschuwd niet te komen. 'Straks verpest ze alles voor me, wat moet ik nou?' Jim is radeloos. Zijn keel is gortdroog, hij heeft bijna een halfuur lang gerend om op tijd te kunnen zijn.

Hij graaft diep in zijn broekzakken. Vijftig cent. Hij twijfelt of hij een zakje water zal kopen, dat kost maar vijf cent. Maar hij weet dat Ysata niet blij zal zijn als hij niet ten minste een kleine maaltijd voor haar zal kopen, en de kleinste maaltijd kost al vijftig cent. Zuchtend stopt hij het geld terug in zijn zak. Dan komt de bus aanrijden. Jims hart maakt een sprongetje. 'Ik ben een idioot', vloekt hij zachtjes tussen zijn tanden. Eigenlijk zou hij Ysata woedend moeten begroeten en haar op de eerste de beste bus terug naar Bo moeten zetten, maar hij heeft haar meer dan zes maanden niet gezien. Hij kan er niets aan doen, hij is ondanks zijn kwaadheid toch ontzettend blij haar weer te zien.

Jim rent op de bus af zodra hij Ysata van het bustrappetje ziet aflopen. Met een onhandige beweging rukt hij haar van de laatste trede af en tilt haar de lucht in.

'Jimmy!'schreeuwt Ysata geschrokken. 'Zet me neer! Zet me neer!' roept ze boos, maar de schittering in haar ogen verraadt dat ze met volle teugen geniet van deze uitbundige begroeting.

'God, wat ben je toch mooi', zegt Jim, terwijl hij haar vol bewondering van top tot teen opneemt.

'Oh Jimmy!' antwoordt Ysata verlegen.

'Ik meen het, je wordt alleen maar mooier, meisje. God, wat heb ik je gemist!' Jim probeert Ysata in een stevige omhelzing te nemen, maar ze duwt hem plagerig van zich af.

'Jimmy, niet doen! Ik ben stinkend smerig', zegt ze lachend, terwijl ze naar haar kleding wijst. Haar mooie witte Afrikaanse jurk zit onder het roze stof. De zeven uur lange busreis over de stoffige en hobbelige binnenlandse wegen heeft Ysata's mooie waaierrok volledig geruïneerd. De eens zo schattig uitziende, kleine geborduurde bloemetjes zien er nu smoezelig uit. Ysata begint verlegen het stof van zich af te kloppen, maar dan vliegt ze plotseling nog een keer de lucht in.

'Een beetje smerigheid houdt me niet tegen mijn koningin behoorlijk te begroeten', roept Jim uitbundig. Hij probeert Ysata op haar lippen te kussen, maar ze draait steels haar hoofd weg. 'Alsjeblieft prinsesje, kan ik niet eens een klein kusje krijgen? Ben je niet blij me te zien dan?'

'Oh, Jimmy', grinnikt Ysata. 'Een kusje moet je verdienen. Als je heel lief tegen me bent, zal ik erover nadenken.'

'Huh?' vraagt hij gemaakt verbaasd. 'Áls ik lief ben?

Wanneer ben ik dan ooit níét lief tegen je geweest?' Met
een zwier draait hij haar snel in het rond, en probeert zijn
mond op de hare te drukken. Hij gaat zo in hun spelletje
op dat hij zijn evenwicht verliest. Ze vallen achterover en
Ysata landt boven op hem. Ze beginnen allebei te gieren
van het lachen en dan krijgt Jim toch zijn felbegeerde kus.
'Ik hou van je, Jimmy', fluistert ze zachtjes in zijn oor.
'Maar niet zoveel als ik van jou hou', antwoordt hij plagerig.
'Jij, rotjoch!' roept Ysata lachend, terwijl ze met haar
vuisten op zijn borst slaat. Jim en Ysata gaan volkomen in
elkaar op, en ze vergeten voor even de rest van wereld,
totdat een zwerver hard tegen Jims been schopt.
'Moet er een breekijzer aan te pas komen om jullie van
elkaar los te wrikken, of lukt het jullie om uit eigen
beweging op te staan?' zegt de man nors.
'Hou je bek, man', zegt Jim geërgerd, terwijl hij Ysata
provocerend nog steviger tegen zich aandrukt.
'Jimmy, niet doen, laat me nou maar los', zegt Ysata op
waarschuwende toon.
En dan krijgt de zwerver bijval van de andere voorbij-
gangers. 'Jongelui, dat soort gedrag hoort niet thuis op een
openbare plek', zegt een man die ondanks de benauwende
hitte netjes gekleed is in een driedelig kostuum.
'Nou, inderdaad, alsof het hier een slaapkamer is', valt de
forse broodverkoopster de man bij. Het grote, vierkante
krat met brood dat ze op haar hoofd draagt, zwaait
gevaarlijk heen en weer terwijl ze afkeurend haar hoofd
schudt.
Een passerende dominee dreigt de twee met hel en verdoe-
menis als ze niet onmiddellijk van elkaar af gaan.
'Jimmy, please, laat me nou gaan', zegt Ysata smekend. 'We

staan voor joker voor de hele straat.' Als ze ziet dat Jim het hele gebeuren nog steeds niet serieus wil nemen, voegt ze er snel aan toe: 'En bovendien barst ik van de honger, zou je me niet beter iets te eten aanbieden? Nou?'

Lachend laat Jim haar los. Het maakt hem geen barst uit wat iedereen van hem denkt, maar hij wil niet dat Ysata zich ongemakkelijk voelt. Ze krabbelen overeind en lopen naar een eethuisje, een paar blokken verderop. Hij heeft net genoeg geld voor één maaltijd, dus bijt hij zelf op een houtje, terwijl Ysata uitgehongerd de cassavebladstamppot aanvalt.

'Neem je me vanavond mee uit?' vraagt ze hem met volle mond. Ze smakt luid.

'Uit? Hoe bedoel je? Naar een bar of een club?' vraagt hij schaapachtig. Hij weet donders goed wat ze bedoelt, maar hij probeert tijd te winnen om een goede smoes te kunnen verzinnen.

'Ja, naar een club natuurlijk. Ik ben nog nooit uit geweest in Freetown, dat moet vast mega veel beter zijn dan de boerendisco's in Bo.'

'Bo is ook een stad, Ysata, er is echt niet zoveel verschil tussen Bo en Freetown hoor.'

'Nou, dat wil ik dan met mijn eigen ogen zien', zegt ze uitdagend.

Jim slaakt een diepe zucht. 'Ysata, het is woensdag, een doordeweekse dag, ik moet morgenochtend vroeg naar school. Ik kan echt niet de hele nacht op stap.'

'Je bent echt een lulletje aan het worden, Jimmy', snauwt Ysata. 'Er valt tegenwoordig geen lol meer met je te beleven.'

'Maar ik moet naar school, Ysata', verdedigt hij zich.

'Ja, precies, dat bedoel ik. Naar school, naar school, naar school, meer komt er niet uit je. Ik ben er net, je kunt toch wel een keertje spijbelen? Morgen?'

'Nee Ysata, echt niet, ik heb al een waarschuwing gekregen. Als ik te vaak spijbel, kunnen ze me zo van school sturen. Dan kan ik straks het hele jaar overdoen.'

Hè Jimmy, toe, één keertje, please?' vraagt ze hem smekend. Het kost Jim grote moeite voet bij stuk te houden, maar hij houdt vol. 'Nee, punt uit. Ik kan het me echt niet veroorloven. Ik wil niet van school worden gestuurd.'

'Pfff', zegt Ysata honend. 'De eens zo machtige Commander Jim is bang voor de schoolmeester. Je bent een lachertje man! Wacht maar tot ik dat aan de jongens vertel, die komen niet meer bij van het lachen!'

'Je gaat je gang maar, Ysata, daar kan ik me echt geen zorgen om maken. Ik ga naar school om iets van mijn leven te maken. Als ik mijn diploma op zak heb, ben ik degene die júllie uitlacht. En over diploma gesproken, hoe kan het trouwens dat jij niet naar school hoeft? Ik lig krom voor die modeopleiding van je, en dan besluit jij gewoon ik weet niet hoe lang te spijbelen, omdat je zo graag in Freetown wil gaan stappen?'

'Dat is vuil, Jimmy!' roept Ysata verontwaardigd.

'Dat is niet vuil, dat is de waarheid', zegt hij bot.

'Niks waarheid. Jij ligt krom? Je betaalt maar de helft, lapzwans. Voor de andere helft moet je zelf je handje ophouden bij die zogenaamde oom van je.'

'Maakt niks uit waar ik het geld vandaan haal. Ik ben nog steeds degene die ervoor zorgt dat je die opleiding kan volgen.'

'Je mag die opleiding in je reet steken. Ik wil toch geen

naaister worden, of kleding ontwerpen. Nooit. Ik ga nog liever dood. Ik vind het een kutopleiding', zegt Ysata.

Jims bloed begint te koken. Iedere ochtend voordat hij zelf naar school gaat, en nadat hij thuis de vloeren heeft geschrobd en een grote ton water uit de put heeft geschept, gaat hij eropuit om strijkwerk te zoeken. Voor een paar lullige rotcenten. Na schooltijd pakt hij van alles aan om meer geld te verdienen, zodat hij alles voor Ysata kan betalen. Hij spijbelt zo vaak vanwege Ysata en haar eindeloze behoeften. Hij houdt niet eens genoeg over om regelmatig eten voor zichzelf te kopen. En nu besluit ze haar opleiding gewoon weg te gooien? 'Je wilt toch geen kleermaakster worden?' vraagt hij ongelovig. 'Je hebt die opleiding zelf uitgekozen, en nu vind je het ineens niet leuk meer? Dat had je eerder moeten bedenken, Ysata. Een jaar geleden bijvoorbeeld, toen je met die opleiding begon!' Hij is razend op haar.

'Een meisje mag toch wel van gedachten veranderen?' antwoordt ze onschuldig. 'Ik dacht dat het leuk zou zijn, maar dat is het niet, dus houd ik ermee op.'

'Vier maanden voor het eindexamen?'

'Ja.' Ysata kijkt hem uitdagend aan.

'Dat meen je niet!'

'Dat meen ik wel.'

'Wat ga je dan doen voor de kost, Ysata? Je zult toch echt zelf geld moeten gaan verdienen, want als ik slaag voor mijn eindexamen, ga ik door naar de universiteit. Ik kan niet voor je blijven zorgen', zegt Jim kwaad.

'Als jij niet voor me kan zorgen, zal ik op zoek moeten naar een échte man, Jimmy!' dreigt Ysata.

Haar opmerking raakt hem diep. Hij kent Ysata al vanaf zijn zesde. Nu elf jaar. Ze hebben samen gevochten, zij aan zij, ze hebben zoveel meegemaakt samen. Hij heeft zijn leven aan haar te danken, en zij het hare aan hem. Hij heeft haar beschermd tegen de volwassen commandanten toen die haar wilden verkrachten, waardoor hij zelf steeds in de problemen kwam met zijn leiders. Hij heeft een kogel in zijn rug gekregen toen hij haar uit handen van de vijand probeerde te redden. Hij is altijd een echte man geweest voor haar. En bovendien, hoort een echte man er niet voor te zorgen dat hij goed betaald werk krijgt, zodat hij in de toekomst zijn gezin kan onderhouden? Zonder scholing kan hij zijn leven lang strijkwerk blijven doen, ieder dubbeltje twee keer omkeren. Is dat dan het leven dat ze wil?

Ysata haalt hem uit zijn gedachten. 'Jimmy, kijk die vent daar', zegt ze terwijl ze met haar hoofd een seingebaar maakt. 'Zie je die grote bobbel in zijn zak? Hij heeft een puist met geld bij zich. Laten we hem op de hoek opwachten, zodat we wat stapgeld hebben voor vanavond.'

'Ik ga echt niemand beroven, Ysata', antwoordt Jim geschokt. Hij kan zijn oren niet geloven.

'Moet je hem nou horen! Ga je ineens het heilige boontje zitten spelen? Je vergeet even dat ik je langer ken dan vandaag. Mr. Nasty Killer die een oud vrouwtje haar keel doorsneed voor een paar kwartjes!'

'Dat is al jaren geleden, Ysata. En toen leefde ik op straat, ik had geen keus. Ik heb nu de kans om op een eerlijke manier aan mijn geld te komen.'

'Ja, dat zeg ik, je bent een lulletje aan het worden. Laten we er maar over ophouden, je maakt me kwaad. Ik ben moe, en ik wil me wassen. Ik wil naar huis.' Ysata gaapt demonstratief met haar mond wagenwijd open om haar woorden kracht bij te zetten.

Het volgende probleem. Waar moet hij Ysata in godsnaam naartoe brengen? Niet naar zijn eigen kamer, zijn bazin ziet hem aankomen! En bovendien wil hij niet dat iemand weet dat Ysata in Freetown is. Hij heeft mazzel dat meneer Tucker hem wil sponsoren, maar de man is al niet blij met hem omdat hij slechte cijfers haalt. Als de man er nu ook nog achterkomt dat zijn vriendin hem midden in het schooljaar komt afleiden van zijn studie, kan hij zijn sponsoring wel shaken. Hij zoekt naar een goede manier om Ysata te vertellen dat ze niet bij hem kan blijven slapen, maar ze irriteert hem zo ontzettend met haar constante gegaap, dat hij het er gewoon uitgooit. 'Je kunt niet met mij mee naar huis, Ysata', zegt hij vastbesloten.

'Pardon?' vraagt ze verbaasd. 'En waarom niet?'

'Ik woon in een jongensvertrek, Ysata. Een klein hok voor de huisjongens. We slapen er met zijn vieren. Je weet precies hoe die dingen werken. Ik kan echt geen vrouw mee naar huis nemen, ik word er direct uitgetrapt.'

'Ik geloof er niets van. Je gaat vreemd, dat is het! Je hebt een ander meisje', bijt ze hem toe.

In de verte klinkt de kerkklok. Vijf uur. Hij had allang thuis moeten zijn om eten te koken voor zijn bazin. Hij is radeloos. Wat moet hij nou met Ysata aan? Ze kent zelf helemaal niemand in Freetown, dus hij zal wel onderdak voor haar móéten regelen, maar waar? In Grafton, bij de zus van zijn beste vriend, dat is meer dan een uur rijden van het centrum, dan hoeft hij ook niet bang te zijn dat iemand erachter zal komen dat Ysata in Freetown is. Hij krabbelt snel een adres op een papiertje, rekent af en zet Ysata dan op de podapoda. Hij geeft het papiertje met het adres aan de politieagente die naast Ysata zit en vraagt de vrouw zijn

vriendin te helpen. Ysata kan zelf niet lezen. De podapoda
scheurt met gierende banden weg. 'Ik bel je morgen', roept
hij haar na.

Vijf uur 's morgens. Het piepende geluid van de wekker
snerpt schel tegen de kale muren. Hij zal vandaag extra
hard moeten werken, want hij zal Ysata's eten moeten
betalen, en misschien wat zeep, en een klein cadeautje. Jim
wil zich het liefst nog een keer omdraaien en nog een uurtje
langer slapen. Hij is doodmoe. Hij rekent uit dat als hij drie
lesuren spijbelt, het allemaal wel moet lukken met het geld
verdienen. Hij zet zijn alarm om zes uur en trekt het
groezelige laken over zijn gezicht, zodat het zwakke
ochtendlicht hem niet wakker kan houden. Maar hoewel hij
maar een paar uurtjes geslapen heeft, lukt het hem niet
weer in slaap te vallen. Zijn geweten knaagt aan hem. Hij
wil graag naar school, hij heeft allemaal belangrijke lessen
vandaag. Als hij die mist, raakt hij een heel eind achter. Hij
besluit toch maar op te staan.
Half automatisch vult hij een emmer met water en zeep en
begint op zijn knieën de vloer schoon te schrobben. Voor
het eerst sinds hij hier werkt, nu bijna een jaar, vraagt hij
zich af hoe het toch mogelijk is dat de vloer iedere dag weer
zó stinkend smerig kan zijn. Het kost hem bijna een uur om
het hele huis te boenen. Hij heeft pech, want door de hitte
is het waterpeil in de put zo laag, dat hij na iedere
geschepte emmer een tijdje moet wachten totdat er genoeg
water in de put staat. Het is al bijna halfnegen als hij er
eindelijk opuit kan om strijkwerk te zoeken.
Met een rammelende maag gaat hij van huis tot huis, maar
niemand heeft werk voor hem. Als het om twaalf uur tijd is

om naar school te gaan, heeft hij net genoeg bij elkaar gesprokkeld voor één maaltijd, en een enkele reis naar Grafton per podapoda. Om nog op tijd te kunnen komen voor school, moet hij hard rennen. Hijgend komt hij uiteindelijk bij de school aan. De hekken zijn al gesloten. Hij moet behoorlijk wat moeite doen om gratis binnen te komen, want normaal gesproken kan de conciërge alleen met wat smeergeld verleid worden om de poort open te doen. Maar hij heeft geluk.

Jim probeert ongezien het drukke klaslokaal binnen te glippen, maar de docent heeft hem in de smiezen. 'Zo, meneer de commandant, kwam u tijdens de oorlog ook steeds te laat het slagveld op rennen?' zegt de man treiterend. De klas van vijftig jongens is zo chaotisch, dat gelukkig bijna niemand het hoort, maar toch is Jim beledigd door de opmerking. Niemand in de klas weet dat hij kindsoldaat is geweest en dat wil hij graag zo houden. Ex-kindsoldaten worden door iedereen met de nek aangezien, en hij begint net vrienden te maken op school. Zo'n opmerking kan daar direct verandering in brengen. Hij gaat stilletjes achter in de klas zitten en slaat zijn boeken open. Om hem heen wordt gefluisterd en gelachen. Iedereen praat over hem, daar is hij van overtuigd.

In de pauze besluit hij toch te spijbelen. Hij loopt een paar stokslagen op als hij probeert het schoolterrein te verlaten. De conciërge is woedend op hem. 'Er komt niets van je terecht, hoor je me, kleine etter? Je belandt in de goot, let maar op mijn woorden!' roept de man hem venijnig na. Jim haalt verslagen zijn schouders op. Hij zal het wel overleven. Hij zoekt een paar oude vrienden op, in de hoop dat ze hem wat geld zullen geven. Als dat niet werkt, besluit hij naar het kantoor van meneer Tucker te gaan. Als hij nou net doet alsof hij doodziek is, dan geeft de man hem vast een aardig bedrag om naar de dokter te gaan. Onderweg koopt hij een grote ui voor twee cent, die hij binnen twee minuten helemaal opeet. Hij begint vrijwel direct hevig te zweten. Het spel kan beginnen.

Hij haast zich naar het ministerie van Buitenlandse Zaken, waar meneer Tucker werkt. Als het gebouw in zicht komt, begint hij heel langzaam te strompelen. Zodra de portier hem ziet, vraagt de man of hij ziek is. Mooi zo, denkt hij, het komt dus geloofwaardig over. Onderweg naar boven wrijft hij met zijn vingers hard in zijn ogen, zodat ze rooddoorlopen zijn als hij op de deur van meneer Tuckers kantoor klopt. Niemand doet open, en de deur is op slot. Meneer Tucker heeft een afspraak buiten de deur, zegt een van de secretaresses.

Jim besluit meneer Tucker thuis op te wachten. En misschien heeft hij geluk: als mevrouw Tucker thuis is, geeft ze hem vast ook iets te eten. Als hij bij het huis van de Tuckers aankomt, is het effect van de ui al bijna uitgewerkt. Hij buigt vijftig keer snel diep door zijn knieën, zodat hij er afgepeigerd uitziet. Dan, als hij de ijzeren poortdeur wil openen, hoort hij verliefderig gelach. Meneer Tucker praat op suikerzoete toon. De onbekende vrouw kirt en giechelt. Jim draait zich om. Hij kan meneer Tucker nu niet storen. Maar net als hij weg wil lopen, herkent hij de stem van de vrouw. Het is Ysata.

Jim stormt het terrein op. Meneer Tucker en Ysata zitten samen op de veranda te eten. Ze delen samen één bord en zitten dicht tegen elkaar aan.

'Ysata?' zegt Jim ongelovig.

Meneer Tucker springt snel op. 'Jim!' roept hij geschrokken.

De man herstelt zich snel. 'Kom eten, ga zitten, goed dat je er bent', zegt hij.

Jim negeert de man. 'Ysata?' vraag hij nog een keer verbaasd. 'Wat doe jij hier? Hoe kom je hier?'

Ysata reageert nonchalant. 'Doe niet zo onbeschoft, Jimmy. Sylvester vraagt je om te komen eten. Ga zitten.'

'Wie is Sylvester?' vraagt hij verbouwereerd.

Ysata wijst naar meneer Tucker.

'Wat is hier gaande?' vraagt Jim achterdochtig, terwijl hij de veranda opstapt.

'Toe, Jimmy. Maak niet zo'n scène en ga zitten. Sylvester is heel goed voor me geweest vandaag. Als ik op jou had moeten wachten, was ik allang verhongerd. Je liet niets van je horen, Jim, geen telefoontje, niets. Dus heb ik Sylvester gebeld. Je hebt me ooit zijn nummer gegeven, weet je nog? Sylvester is me in Grafton komen ophalen.'

Jim kan zijn oren niet geloven. Ysata heeft hem in een lastige situatie gemanoeuvreerd. 'Sorry, meneer Tucker. Oom, ik wist niet dat ze naar Freetown zou komen, echt, ik zweer het. Een uur voordat ze aankwam gisteren, belde haar tante me om me te zeggen dat ik naar het busstation moest om Ysata op te halen. Oom, echt, ik zweer het. Ik stuur haar zo snel mogelijk weer terug. Het spijt me ontzettend.'

Meneer Tucker glimlacht geruststellend. 'Jim, maak je niet druk, Ysata is hier altijd welkom.'

'Dank u wel, oom', antwoordt Jim, al weet hij niet zo zeker of hij wel zo blij moet zijn dat Ysata zo welkom is bij meneer Tucker.

Meneer Tucker lacht en geeft Jim een klap op zijn schouder.

'Geen dank jongen, geen dank. Ik heb met Ysata
afgesproken dat ze hier een maand kan logeren. Dat is toch
geen doen jongen, haar helemaal alleen in Grafton achterlaten. Zo'n mooie dame! Je zou haar meer moeten
koesteren, Jim.'
Die opmerking schiet bij Jim in het verkeerde keelgat, maar
hij laat niets merken. Het zint hem niet dat Ysata bij de
Tuckers zal blijven logeren. Er is iets vreemds gaande
tussen haar en meneer Tucker, maar wat precies, dat kan
hij zo niet bepalen. Met tegenzin schuift hij aan bij het eten
en neemt een grote hap pindasoep. Dan komt mevrouw
Tucker thuis.
De vrouw heet Ysata van harte welkom in haar huis. Eerst
lijkt ze er geen problemen mee te hebben dat het meisje bij
hen zal logeren, maar als ze het huis binnenloopt vraagt ze
Jim met haar mee naar binnen te komen. Als ze de deur
heeft dichtgetrokken, geeft ze Jim een goede waarschuwing.
Als hij ook maar één keer spijbelt vanwege Ysata, zal ze er
eigenhandig voor zorgen dat hij van school gestuurd wordt.
Jim belooft haar met zijn hand op zijn hart dat hij gewoon
iedere dag naar school zal gaan.
Na het avondeten wordt hij naar huis gestuurd om te
studeren. Ysata loopt met hem mee naar de poort.
'Cool hè, Jimmy, dat ik hier kan blijven. Dit is zo'n mooi
huis! Ik kan niet geloven dat je me in dat kleine krot in
Grafton wilde opsluiten. Die mensen hebben niet eens een
aparte slaapkamer. Ik heb op de grond moeten slapen
vannacht. Hier heb ik tenminste een eigen kamer, en een
fatsoenlijk bed', zegt ze verontwaardigd.
'Thuis slaap je ook op de grond, Ysata', zegt Jim kortaf.
Ysata negeert zijn opmerking. 'Je zorgt niet goed voor me,

Jimmy', klaagt ze. 'Je kon me niet eens iets te eten komen brengen vanmorgen. En geen telefoontje van je, niks.'
'Alsof ik een telefoon heb', reageert hij boos. 'Als je eens wist hoe hard ik heb gewerkt om geld voor jouw eten bij elkaar te verdienen vandaag, dan...' hij krijgt de kans niet zijn zin af te maken.
'Sta niet zo te liegen, Jim Koroma! Je bent een grote luilak', onderbreekt Ysata hem. 'Laat maar zitten, Jim. Ik zorg wel voor mezelf, aan jou heb ik niks.'
Zijn hart begint sneller te bonken van woede. Wat bedoelt ze daar nou weer mee? 'Ysata, je bent volkomen onredelijk', zegt hij kwaad.
'Onredelijk? Onrédelijk? Hoe ben ik onredelijk? Een meisje heeft zo haar behoeften. Je bent een waardeloze vent. Wanneer koop je eens mooie nieuwe kleren voor me? Precies. Nooit! En een mp3-speler? Man, je kunt me nog geeneens een simpele mobiele telefoon geven.'
Jim kan niet geloven dat Ysata dat echt heeft gezegd. Iets simpels noemt ze dat, een mobiele telefoon, denkt hij. Zelfs als hij een jaar lang, dag in dag uit strijkklussen zou doen, dan nog zou hij zich zo'n ding nog niet kunnen veroorloven. 'Ysata...' begint hij geërgerd.
Ysata wil niet meer naar hem luisteren. 'Nee Jim', ze draait zich op haar hielen om en loopt terug naar het huis.
'Ysata, wat...?' roept hij haar na, maar ze reageert niet meer. 'Ysata, komaan zeg.' Geen reactie. 'Oké', dreigt hij. 'Ik ga.'
Het werkt niet, ook daar reageert Ysata niet op.
'Kun je me niet eens gedag zeggen?' roept hij ten slotte wanhopig.
Zonder zich om te draaien, roept ze: 'Laat me met rust

Jim. Je kunt me komen opzoeken als je me iets te bieden hebt.'

Vanaf de inmiddels donkere veranda, ziet hij meneer Tuckers ogen fonkelen. De man heeft er plezier in dat Ysata en Jim met elkaar overhoop liggen, daar is Jim van overtuigd.

Pas twee dagen later ziet Jim zijn vriendin weer. Op zaterdag, als hij bij de Tuckers gaat schoonmaken. Iedere zaterdag schrobt hij hun grote huis van onder tot boven schoon, hij doet hun was, het strijkwerk, de tuin en aan het einde van de dag kookt hij. Iedere zaterdag, voor niets, want ze betalen zijn schoolgeld en daar moet iets tegenover staan. Normaal gesproken vindt hij het niet erg om voor de Tuckers te werken, maar vandaag voelt het aan als een vernedering. Ysata kijkt toe vanaf de veranda, terwijl hij hard aan het werk is. Ze negeert hem volkomen.

Als de Tuckers het huis verlaten om bij iemand op ziekenbezoek te gaan, zoekt Ysata ineens toenadering. 'Kom even zitten Jim, ik heb je zo gemist', zegt ze op verleidelijke toon, terwijl ze met haar hand op de lage houten kruk naast zich slaat.

Jim gaat stug door met werken. Als ze op dat toontje tegen hem praat, kan hij onmogelijk kwaad op haar blijven, maar als hij nu te makkelijk toegeeft, loopt ze de volgende keer helemáál over hem heen.

'Jimmy, toe nou, vergeef me', smeekt ze. 'Ik meende het niet, echt, het spijt me. Het kwam gewoon doordat ik moe was van de lange reis. En ik was bang, ik ben nog nooit in Freetown geweest. Deze stad... Ik was gewoon in de war, dat is alles.' Ysata heeft een verleidelijke blik in haar ogen. 'Vergeef je het me?'

Jim laat het grote kapmes, waar hij het onkruid mee aan het wieden was, op de grond vallen en loopt snel de veranda op. 'Natuurlijk vergeef ik het je. Ik kan nooit lang kwaad op je blijven, dat weet je', zegt hij opgelucht. Hij neemt haar gezicht in zijn handen en geeft haar een zachte kus op haar voorhoofd.

Meer kans om de ruzie bij te leggen krijgen ze niet. Buiten de poort klinkt het getoeter van meneer Tuckers auto. Jim haast zich om voor hem open te doen. Meneer Tucker rijdt langzaam het erf op. Naast hem zit een dikke, zwarte vrouw in een knalroze pakje. Om haar haar heeft ze een doek gewikkeld. In de vorm van een tulband. Ze ziet eruit als een gebakje. Mevrouw Tucker zit achterin. Jim wil het portier van de vreemde vrouw openmaken om de vrouw te helpen uit te stappen, maar meneer Tucker is hem sneller af en jaagt hem weg alsof hij een vervelende vlieg is.

Als iedereen uitgestapt is, roept meneer Tucker Ysata erbij, om haar aan de dikke vrouw voor te stellen. 'Mevrouw Bangura, mag ik u voorstellen aan onze dochter? Ysata, dit is mevrouw Bangura, de voorzitter van onze kerkraad', zegt hij op plechtige toon. Met z'n vieren lopen ze druk pratend naar het huis. Jim wordt niet uitgenodigd om met ze mee te komen. Als hij de machete weer oppakt om verder te gaan met onkruid wieden, hoort hij de vrouw naar hem informeren.

'En die jongeman daar? Wie is dat?' vraagt ze geïnteresseerd. 'Oh, hij', zegt meneer Tucker nonchalant. Hij haalt zijn schouders op als hij haar over Jim begint te vertellen. 'Dat is een ex-kindsoldaat. We hebben hem van de straat geplukt. We proberen een beetje voor hem te zorgen. We betalen zijn school en geven hem soms wat werk', zegt hij.

'Echt?' vraagt de vrouw ongelovig. 'Wat goed dat jullie dat doen zeg, ik zou dat niet durven. Ik bedoel, je weet waar die gasten toe in staat zijn. Wat moedig van jullie!'
De opmerking van de vrouw maakt Jim razend. Hij heeft zin de vrouw uit te schelden en haar verschrikkelijk te laten schrikken, gewoon een beetje te treiteren, om wat ze net over hem gezegd heeft. Hij houdt zich in en richt al zijn opgekropte woede op het onkruid. Met grote kracht maait hij met zijn machete in één haal bijna een halve meter onkruid weg.

'Inderdaad', hoort hij de vrouw zeggen. 'Een ex-kind-soldaat. Daar kunnen ze goed mee overweg, met zo'n kapmes. Ze hebben er immers jaren mee gevochten. Kijken jullie maar uit met dat joch', waarschuwt ze de Tuckers.

'Nog geen zes jaar geleden moordden die kindsoldaten daar hele dorpen mee uit, met zo'n mes. Echt, wees maar voorzichtig. Eens een moordenaar, altijd een moordenaar, dat realiseren jullie je hopelijk toch wel?' Haar stem klinkt waarschuwend.

Jim heeft steeds meer moeite zich in te houden. Hij doet al jaren geen vlieg meer kwaad. De vrouw kent hem niet eens. Hoe kan ze zo hard over hem oordelen? Hij zoekt naar woorden om de vrouw van repliek te dienen, maar zij heeft al geen aandacht meer voor hem. Ze richt zich nu volledig op Ysata, die keurig gekleed is in de te kleine kleren van mevrouw Tucker.

'Ik wil je uitnodigen morgen naar onze kerkdienst te komen, lieverd', zegt ze en legt haar hand met een dwingend gebaar op Ysata's arm.

'Oh, dank u wel, mevrouw Bangura. Ik zal er zeker zijn', antwoordt Ysata.

'Goh, wat een beleefde dochter hebt u, meneer Tucker. Een pareltje, daar mag u met recht trots op zijn.'

'Dank u', zegt meneer Tucker opgewekt.

Iedereen loopt weg met Ysata, denkt Jim. Ze moesten eens weten! Ze was bedrevener met een machete dan hij. Als ze eens wisten wat Ysata allemaal met een machete deed in de oorlog, grinnikt hij. Als ze dat eens wisten, dan hadden ze haar vast niet eens durven aan te raken. Even heeft hij zin het gezelschap te vertellen dat Ysata ook kindsoldaat was. Dat ze samen hebben gevochten. Dat ze ooit beul was, en dat ze er plezier in had. Maar hij slikt zijn opmerkingen in. Hij wil Ysata niet voor schut zetten.

Aan het einde van de dag serveert Jim het gezelschap een uitgebreide maaltijd. Als hij alle borden heeft vol geschept, steekt mevrouw Tucker 50 cent naar hem uit. Niet eens genoeg om een podapoda naar huis te nemen, maar ze doet net alsof het een vet salaris is. Jim twijfelt of hij weg moet gaan. Zo hebben ze hem nog nooit behandeld. Normaal gesproken eten ze samen op zaterdag, en blijft hij vaak de hele avond om spelletjes te doen met mevrouw Tucker. 's Nachts gaat hij dan meestal stappen met meneer Tucker. Zogenaamd als zijn zoon, zodat meneer Tucker beter in de smaak valt bij de vrouwen.

Als niemand hem vraagt aan te schuiven bij het avondeten, besluit hij stilletjes te verdwijnen. Meneer Tucker ziet het, en loopt met hem mee het erf af om de poort achter hem op slot te doen. Voordat hij gedag zegt, besluit hij naar morgen te informeren.

'Meneer Tucker, ga ik morgen met Ysata mee naar jullie kerk?' vraagt hij onzeker.

'Nee, Jim. Sorry', antwoordt de man. Hij heeft zijn blik op de grond gericht. 'Je hebt gehoord hoe mevrouw Bangura op je reageerde, ze zal iedereen vertellen wat je bent. Dat zal onze reputatie in de kerk geen goed doen.'

'Wat ik ben?' vraagt Jim onbegrijpend.

'Ja, sorry, eh... dat je kindsoldaat bent bedoel ik', antwoordt meneer Tucker.

'Wás, meneer Tucker', verbetert Jim de man. 'Ik wás kindsoldaat. Zes jaar geleden. Zés jaar geleden!'

'Ja sorry, Jim, sorry, maar het kan echt niet. We zijn gerespecteerde leden van de kerkgemeenschap. Mevrouw Tucker probeert in de raad te komen, we moeten onbesproken van gedrag zijn. Sorry. Tot maandag. Goed?' Meneer Tucker wacht het antwoord niet af en wil Jim de poort door duwen.

'Maar mag ik Ysata morgen dan na de kerkdienst komen halen om samen iets te gaan doen? Ze is nog nooit in Freetown geweest, ik wil haar graag wegwijs maken in de stad.'

'Dat doen mevrouw Tucker en ik morgen graag met haar', zegt meneer Tucker. 'En bovendien willen we haar graag aan een paar van onze vrienden voorstellen. Er is geen tijd voor morgen, Jim, later een keertje, als Ysata eenmaal een beetje gesetteld is in Freetown.'

Jim is verbaasd. Hij komt nu al bijna twee jaar bij de Tuckers over de vloer, maar dat hebben ze met hem nog nooit gedaan. Eigenlijk zou hij blij moeten zijn dat ze Ysata zo gastvrij opvangen, maar hij wordt vanbinnen opgevreten van jaloezie.

'En 's avonds dan?' probeert hij nog, maar meneer Tucker doet de poort demonstratief voor hem open.

'Kom me maandag maar op kantoor opzoeken, Jim', zegt hij. Met zachte dwang duwt hij Jim de poort door. Met een harde klik gaat de poortdeur achter hem op slot.

Die maandagmiddag gaat Jim vroeger weg van school om bij meneer Tucker langs te gaan. De hele zondag heeft hij met de situatie in zijn maag gezeten. Het idee dat Ysata zo vlakbij is en dat meneer Tucker het hem belet haar te zien, zit hem dwars. Zelfs tijdens zijn gebeden dwalen zijn gedachten telkens af naar Ysata. Hij wil meneer Tucker laten weten dat hij Ysata naar huis wil sturen. Maar dat zal Ysata nooit pikken. Misschien moet hij verzinnen dat Ysata's vader ernstig ziek is en dat de man wil dat zijn dochter nu direct naar huis komt. Ysata zal zo overstuur zijn, dat ze het niet eens zal checken, ze zal direct terug naar Bo gaan.

Meneer Tucker is weer niet op kantoor. Ziek thuisgebleven, volgens de secretaresse. Bij Jim gaan er alarmbellen rinkelen. Hij haast zich zo snel als hij kan naar het huis van de Tuckers. Van zijn maaltijdgeld neemt hij een taxi. Als hij bij het huis aankomt, is de poort op slot. Jim sluipt stilletjes over de hoge, stenen muur, die op de bovenkant bemetseld is met grote stukken uitstekend glas. Hij haalt zijn handen, zijn broekspijpen en zijn benen open. Het bloed gutst uit zijn diepe wonden langs de witte muur. Hij voelt de pijn niet. Als hij over de muur geklommen is, ziet hij de auto van meneer Tucker staan. De man is dus thuis, maar de deur en bijna alle ramen zitten potdicht. Aan de achterkant van het huis staat één raam open. Van de grote slaapkamer. Jim sluipt tot onder het raam. Meneer Tucker heeft vrouwelijk bezoek. Jims adem stokt in zijn keel. Het moet

Ysata zijn, dat kan niet anders. Hij herkent haar geluiden, maar toch wil hij het met eigen ogen zien. Stiekem gluurt hij naar binnen. Het is Ysata. Jim krijgt een zwarte waas voor zijn ogen. Zíjn meisje. Zijn toekomstige vrouw. Zijn koningin. Met meneer Tucker. Het maakt hem zó gek, dat het lijkt alsof de grond onder hem wegzinkt. Zijn hoofd lijkt verdoofd, hij kan zijn gedachten niet meer op een rijtje krijgen. Hij zou Ysata het liefst van meneer Tucker af rúkken, maar hij kan zich niet eens bewegen, zo geschokt is hij. Hij kan alleen maar blijven toekijken, terwijl meneer Tucker zachtjes over de tatoeage op Ysata's arm streelt. Haar aandenken aan hun tijd bij de RUF.

Hij hoort haar liegen dat de rebellen haar vasthielden terwijl ze de tatoeage op haar arm plaatsten. Ysata vertelt meneer Tucker dat ze doodsbang was, dat ze niet wilde, maar dat ze haar sloegen en schopten, en dat de rebellen hard hadden gelachen, terwijl zij het uitgilde van de pijn. Meneer Tucker trekt Ysata troostend tegen zich aan. Het is een grote leugen. Jim herinnert zich de dag nog goed dat Ysata de tatoeage liet zetten. Ze hadden een wijk in de stad Kenema overvallen. Daar was een tatoeagespecialist. De man was doodsbang geweest toen Ysata hem dwong de tatoeage bij haar te zetten. Met trillende vingers plaatste de man de tattoo, terwijl Ysata een geladen geweer op hem gericht hield.

Ze was een wilde, voor niemand bang. Niemand kon haar in die tijd ergens toe dwingen. Ze speelt het onschuldige lam voor die oude viezerik, denkt Jim. Eigenlijk zou hij kwaad op haar moeten zijn, maar het lukt hem niet. Zelfs nu, in deze situatie, is zij de enige persoon op aarde van wie hij houdt. Ze is alles wat hij heeft. Meneer Tucker weet dat.

Hij kent Jims verleden, hij weet dat Jim geen ouders meer heeft en dat Ysata al jaren zijn enige vriendin is. Hij heeft meneer Tucker zo vaak over Ysata verteld, dat hij met haar wil trouwen als hij eenmaal zijn advocatenbul op zak heeft. En meneer Tucker weet ook dat hij ieder klein beetje geld wat hij weet op te sparen aan Ysata geeft.

Waarom moet meneer Tucker hem dit aandoen? Jim bijt op zijn tanden. Hij zou het liefst het huis binnen willen stormen, meneer Tucker een paar rake klappen geven en Ysata uit zijn hebberige klauwen redden. Maar als hij dat doet, kan hij zijn scholing wel op zijn buik schrijven. Meneer Tucker zal hem dan heus niet blijven sponsoren. En eigenlijk wil hij dat ook niet. Hij zou het liefst nooit meer iets met de man te maken willen hebben, maar er is niemand anders die zijn schoolgeld kan betalen.

Hij kan geen kant op. Zonder hulp kan hij niet meer naar school, en als meneer Tucker kwaad wil, dan kan de man er ook nog voor zorgen dat hij zijn onderdak kwijtraakt. Waar moet hij dan naartoe? Terug naar de straat? Een huivering trekt door zijn lichaam bij de gedachte alleen al. Terug naar de straat? Dat nooit, spreekt hij met zichzelf af. Hij zal zijn trots moeten inslikken, totdat hij een andere manier gevonden heeft om zijn schoolgeld te betalen.

Zijn gedachten worden ruw verstoord door een harde klap die in meneer Tuckers slaapkamer weergalmt.

Geschrokken probeert Jim door het open raam naar binnen te kijken. Zodra hij zijn hoofd boven de vensterbank uitsteekt, hoort hij luid gelach. Even denkt hij dat het om hem is, maar als zijn ogen aan het donker in de slaapkamer gewend zijn, ziet hij dat Ysata en meneer Tucker samen door het bed zijn gezakt. Tussen de puinhopen hebben de

twee er de grootste lol om. Jim draait zich op zijn hielen
om. Hij heeft genoeg gezien.

Terwijl hij naar de omheining sluipt, probeert hij zich te
bedenken hoe hij Ysata bij meneer Tucker uit de buurt kan
houden. Er moet een manier zijn, mompelt hij in zichzelf.

Commando

'Pang, pang, pang! Papa, je bent dood!' roept Andy lachend.
De peuter houdt een waterpistooltje op zijn vader gericht.
Zijn vingertje drukt hard op de plastic trekker.
Opgeschrikt door het gebeuren probeert Idrissa het
waterpistool van zijn zoon af te pakken. 'Hoe kom je aan
dat rotding? Wie leert je die spelletjes? Geef hier dat
pistool!' roept hij kwaad tegen de jongen.
Maar Andy gaat zo op in zijn spelletje dat hij niet doorheeft
dat het zijn vader menens is. 'Paf, paf, pew, pew', roept hij
enthousiast, terwijl zijn arm door de lucht zwaait,
zogenaamd aan het schieten.
Dan heeft Idrissa er genoeg van. Met een ruk pakt hij het
pistool van Andy af en geeft de jongen een ferme tik op
zijn kont. 'Zie je dit? Zie je dit ding?' brult hij kwaad. 'Dat
is geen speelgoed. Zeg op, wie heeft je dat ding
gegeven?'
Geschrokken kijkt Andy naar zijn vader. 'Mama', zegt hij
zachtjes.
'Mama? Mama heeft je dit ding gegeven?' Idrissa hapt naar
adem. Hoe kan Hawa zoiets aan hun zoon geven? Een
speelgoedpistool! Begrijpt ze dan niet dat het daarmee
begint? Daar leren kinderen van dat schieten iets leuks is.

Zo is het bij hem ook gegaan. Als klein kind kreeg hij van zijn oom een klappertjespistool. Hij was ouder dan Andy, een jaar of acht, maar hij speelde er precies hetzelfde spelletje mee. Als hij dat klappertjespistool nooit had gehad, als hij daardoor niet had geleerd dat schieten iets magisch was, dan was zijn leven misschien wel heel anders verlopen. Misschien... misschien was hij dan nooit gaan vechten. Misschien had hij dan wel geweigerd om met zijn oom mee te gaan naar de legerbasis van de rebellen. Of anders was hij misschien niet zo happig geweest om wapentraining te volgen, en dan had hij misschien nooit geschoten die dag dat hij zijn eerste gevecht meemaakte. Idrissa sluit zijn ogen. Hij kan zich het gebeuren nog levendig herinneren. Even is hij weer terug in het verleden. De spanning van die nacht trekt weer door zijn lichaam, de geluiden van die nacht komen weer tot leven, de geur van kruit vermengd met nat gras en bloed vult zijn neus. Hij ziet zichzelf de heuvel oprennen, wegduikend voor rondvliegende kogels, de vijand die op hem afkomt. De angst die hij voelde toen hij met trillende vingers de trekker probeerde over te halen.

'Papa?' Andy trekt hem aan zijn broekspijpen. Idrissa speurt de grond af, op zoek naar iets waar Andy mee kan spelen, maar het waterpistool is het enige stuk speelgoed dat Andy bezit. Idrissa geeft de jongen een handbezempje om mee te spelen. Een bundel van dunne takjes, waar eigenlijk niet zoveel mee te spelen valt, maar dat maakt Andy niet zoveel uit. Uitgelaten rent hij met de handbezem naar het buurmeisje.

Tevreden gaat Idrissa op de verandatrap zitten. 'Ik ben een goede vader', zegt hij tegen zichzelf, terwijl hij het waterpistool op de grond gooit. Zijn gedachten schieten weer terug naar het verleden, naar zijn eigen kindertijd, en naar zijn eigen vader.

Ze woonden in Monrovia, de hoofdstad van Liberia. Hij, zijn moeder, zijn zus en zijn twee oudere broers. Zijn vader zag hij bijna nooit, die woonde net buiten de stad voor zijn werk bij de overheid. Eens in de paar weken kwam zijn vader naar huis met een grote zak rijst, en ander proviand. Dat waren altijd feestdagen voor Idrissa. Hij was het lievelingetje van zijn vader, en als hij er was, dan werd Idrissa altijd extra verwend. Dat kwam hem wel altijd duur te staan, want iedere keer als zijn vader weer wegging, halveerde zijn moeder voor straf zijn maaltijden. Waarom ze dat deed, heeft hij nooit begrepen.

Zijn oudere broer Lahai was haar favoriet onder de zoons, dat wist hij, maar Lahai was al volwassen in die tijd, hij kon makkelijk voor zichzelf zorgen. Bovendien was er genoeg eten voor iedereen geweest. Waarom moest hij dan telkens gestraft worden voor de verwennerijen van zijn vader? Misschien was het omdat hij de enige zoon was uit dat huwelijk, want zijn broers en zus hebben een andere vader. Zijn moeder was al een keer getrouwd geweest toen ze Idrissa's vader ontmoette. De man was overleden, en misschien had ze Idrissa's vader alleen maar nodig gehad omdat hij haar gezin kon onderhouden. Misschien had ze helemaal geen extra kinderen gewild, ze had er immers al drie. Maar zijn vader had zelf nog geen kinderen toen hij met Idrissa's moeder trouwde, hij zal er vast op hebben aangedrongen, omdat hij zijn eigen erfgenaam wilde. Als enige zoon had Idrissa het alleenrecht op alle bezittingen van zijn vader, en zijn vader verdiende goed in die tijd. Hij had een huis, twee auto's en geld. Zijn moeder was jaloers op Idrissa geweest, dat wist hij, omdat zijn toekomst er rooskleurig uitzag, terwijl zijn broers niets van hun eigen vader geërfd hadden. Als kleine jongen keek hij toe hoe zijn moeder steeds vreemde mannen thuis ontving en voor geld met ze naar bed ging. Van het geld kocht ze dingen voor zijn broers, terwijl Idrissa niet eens wat vlees bij zijn eten kon krijgen.

Het was een grote schok voor Idrissa toen de politie naar hun huis kwam om hun te vertellen dat het kantoor van zijn vader aangevallen was. Volgens de politie hadden rebellen het gebouw waar zijn vader werkte bestormd en iedereen die binnen was vermoord. Niemand had het overleefd. Zijn vaders lichaam heeft hij nooit gezien.

De aanval op zijn vaders kantoor was er een van een reeks aanvallen door rebellen in Monrovia. De dag nadat ze het nieuws over de dood van zijn vader hadden gekregen, moesten ze vluchten. Zijn moeder nam het gezin mee naar buurland Sierra Leone. Daar was het veilig volgens haar, en misschien konden ze familie van zijn vader vinden die hen zou kunnen opvangen en onderhouden. Zijn vader kwam namelijk uit Sierra Leone. De tocht naar Sierra Leone was verschrikkelijk. Hij droeg twee broeken over elkaar heen, dan nog drie T-shirts en om zijn middel had hij zijn handdoek geknoopt. Het waren de enige bezittingen die hij van zijn moeder mee mocht nemen, zelfs de foto van zijn vader moest hij achterlaten. De grote rugzak die hij te dragen kreeg was bestemd voor cassave en wat uien. Op zijn hoofd droeg hij een zware 10 kilozak rijst. Een paar dagen trokken ze over de weg. Lopend, omdat ze met te veel personen waren om een lift te kunnen krijgen, en bovendien waren ze niet de enigen die uit Monrovia wegvluchtten.

Op een bloedhete middag kwamen ze na een hele dag lopen bij een checkpoint uit. Soldaten hadden de weg gebarricadeerd om het gebied erachter vrij te houden van rebellen. Alle gezinsleden hadden Sierra Leoonse identiteitspapieren, die had zijn moeder op de kop weten te tikken. En als Sierra Leonezen hadden ze het volste recht moeten hebben om terug te keren naar Sierra Leone, maar in oorlogstijd gaat niets zoals het hoort te gaan.

Het checkpoint werd bemand door een groep van vijftien gewone soldaten, zonder hun superieuren. Ze konden dus doen waar ze zin in hadden, de soldaten, niemand die ze tegenhield. En de soldaten hadden honger. Met de geweren op Idrissa's broers gericht dwongen ze zijn moeder een grote maaltijd voor hen te koken van de voorraad voedsel die het gezin uit Monrovia had meegenomen. Het was de enige manier om langs het checkpoint te komen. De oorlog breidde zich razendsnel over het land uit, dus terugkeren was geen optie.

Idrissa's moeder had geen andere keuze dan voor de soldaten te koken. Gemaakt opgewekt ging ze aan het werk. Potten en pannen werden overal vandaan getoverd. Idrissa werd de bush ingestuurd om brandhout te zoeken voor het kookvuur. Zijn broers en zus hielpen hun moeder met koken. Toen Idrissa uit de bush terugkeerde met zijn armen vol stokken en sprokkelhout, begon het al donker te worden. Nadat de soldaten de enorme maaltijd naar binnen hadden gewerkt, besloten de mannen het gezin pas de volgende ochtend door het checkpoint te laten.

Bij een klein vuurtje dronken de soldaten zware alcohol, en hoe meer de mannen dronken, hoe grimmiger de sfeer werd. Een dikke sergeant probeerde constant de borsten van Idrissa's moeder te grijpen, wat zijn broer Lahai zo kwaad had gemaakt, dat hij naar de man had proberen uit te halen. Direct werden er vijf geweren op Lahai gericht; als hij zich nog één keer zou bewegen, zou hij het moeten bezuren met een kogel. Idrissa was zeven, en hij was doodsbang. Hij besloot een stukje verderop op de grond te gaan liggen en net te doen alsof hij sliep. Hij wilde dat de soldaten hem met rust zouden laten.

Naast de tent van de soldaten vond hij een stukje zachte zandgrond waarop hij kon gaan liggen, zonder slaapzak of zelfs maar een rieten mat, of een kleed. De vele lagen kleding die hij over elkaar heen droeg, begonnen intussen stijf aan te voelen door het vuil en de liters opgedroogd zweet die de stof de afgelopen zeven dagen had moeten absorberen. Idrissa probeerde zijn hoofd in het zand te begraven en zijn oren met zijn handen af te schermen van de herrie die de soldaten maakten, maar dat was zinloos. Hij hoorde hoe zijn moeders stem de avondlucht vulde. Ze was beginnen te zingen om de soldaten te entertainen. Ze stond in het midden van de kring mannen die zich allemaal rond het kleine vuur hadden verzameld. Haar rok wapperde gevaarlijk dicht langs de vlammen. De twee jongste soldaten kregen de opdracht Idrissa's broers uit de kring te halen en hen een stukje verderop onder schot te houden. Zijn moeder en zus werden aangemoedigd om voor de soldaten te dansen. Idrissa's moeder had direct gedaan wat haar gevraagd werd, maar zijn zus was verlegen voor de kring blijven staan. De dikke sergeant gaf haar daarop een harde trap in haar rug, waardoor ze bijna in het vuur terecht was gekomen. 'Dansen, kreng!' had de man uitgelaten geroepen. De tranen schitterden in haar ogen toen ze opkrabbelde en voorzichtig met haar heupen begon te wiegen. Toen er uiteindelijk geen muziek meer werd uitgezonden op de radio, moesten zijn moeder en zus zelf liedjes zingen, terwijl ze zich op de maat van hun eigen gezang moesten uitkleden.

De soldaten lachten opgewonden toen ze Idrissa's moeder mee naar de tent trokken. Zijn zus verzette zich zo hevig, dat er uiteindelijk drie soldaten aan te pas moesten komen om het meisje naar de tent te dragen. Idrissa, die nog steeds naast de tent lag, luisterde urenlang naar het gejammer van zijn zus en het stomme gegrinnik van zijn moeder, die de soldaten probeerde aan te moedigen met háár te vrijen in plaats van met haar dochter. Toen had hij gewalgd van zijn moeder. Hij dacht dat ze jaloers was op zijn zus en dat ze de aandacht van alle mannen voor zichzelf wilde hebben. Pas veel later begreep hij dat ze daarmee zijn zus had willen beschermen.

Alle vijftien soldaten waren uiteindelijk de tent in geweest. De dikke sergeant bleef het langst. Hij was degene die het zijn zus deed uitschreeuwen van de pijn. Toen de man uiteindelijk de tent verliet en vlak naast Idrissa een sigaret opstak, nam hij het gezicht van de man goed in zich op en zwoer bij zichzelf dat hij de man op een dag zou laten boeten voor wat hij zijn zus had aangedaan.

Vroeg in de ochtend lieten de soldaten het gezin uiteindelijk langs het checkpoint. Het beetje voedsel dat ze nog over hadden, moesten ze bij de mannen achterlaten. Terwijl ze langzaam naar het volgende dorp liepen, sprak niemand met elkaar. Idrissa's moeder had grote kringen onder haar ogen, op haar rok zaten een paar grote bloedvlekken. In het dorp kochten ze van hun laatste geld een beetje rijst en wat bonen. Zijn oudste broer Steven had het in zijn schoenzool verstopt weten te houden.

De kleine maaltijd was niet eens genoeg voor twee personen, en ze moesten er met z'n vijven van eten. Eén vrouw had medelijden met ze en gaf ze wat cassave en maïs, maar het dorp was al een paar weken afgesloten met checkpoints, waardoor ook de dorpelingen nauwelijks iets te eten hadden. Omdat ze hoorden dat nu overal op de wegen checkpoints waren neergezet, besloot zijn moeder de vlucht voort te zetten door de bush. Ze hadden geen voedsel en geen geld meer om soldaten mee om te kopen, en daarbij wilde zijn moeder niet dat zich nog eens zou herhalen wat er die nacht in de tent was gebeurd.

De tocht door de bush was zwaar en moeilijk. Omdat hij zo klein was, kon hij zich moeilijk door de dichte begroeiing heen worstelen, en het zat er bovendien vol met slangen en andere gevaarlijke dieren. 's Nachts sliep hij nauwelijks, uit angst aangevallen te worden door een bushkoe, of een wild zwijn, of wat voor beest dan ook. Het enige goede aan de bush was dat ze tenminste te eten hadden. Ze aten bessen en fruit en soms lukte het zijn broers zelfs een konijn of een rat te vangen.

Toen ze eindelijk de grens met Sierra Leone konden passeren, waren Idrissa's voeten enorm opgezwollen en zaten ze vol met grote, diepe wonden. Van zijn kleren was bijna niets meer over, alles zat onder de scheuren en gaten.

Zijn moeder en broers vonden wat klussen waar ze geld voor kregen, zodat ze voor vervoer naar de hoofdstad Freetown konden betalen. Daar was een vluchtelingenkamp waar ze naartoe konden.

Een paar maanden ging het redelijk met ze in het vluchtelingkamp in Waterloo, net buiten Freetown. Het kamp was overbevolkt en het was er stinkend smerig, maar ze hadden tenminste een veilige plek om te slapen en er was eten. Idrissa's moeder vond er werk, waardoor ze wat kleren voor hem kon kopen. Idrissa maakte vriendjes in het kamp, en wat vooral leuk was, was eten stelen, wat hij iedere dag samen met zijn vriendjes deed. Het leven in het kamp was voor Idrissa eigenlijk alleen maar leuk, en hij was het dan ook als zijn thuis gaan beschouwen. Maar toen brak er ook oorlog uit in Sierra Leone, waardoor ze weer op de vlucht moesten. Omdat zijn moeder niet wist waar ze in Sierra Leone naartoe moesten, keerden ze terug naar Monrovia, dat toen minder gevaarlijk was dan Sierra Leone.

De tocht terug naar Liberia was een stuk makkelijker dan de heenreis geweest. Zijn zus bleef achter in Sierra Leone, waar ze een man had ontmoet die ze niet wilde verlaten. Zijn broers gingen vooruit, waardoor Idrissa alleen met zijn moeder reisde. Dat maakte het een stuk makkelijker om hulp van anderen te krijgen. Het grootste gedeelte van de reis zaten ze achter in de laadbakken van vrachtwagens en minibusjes.

Toen ze in Monrovia aankwamen, bleek het inderdaad rustig in de stad, maar hun huis was platgebrand. Ze trokken naar de andere kant van de stad, waar wat familie van zijn moeder woonde. Een tante nam het gezin op in haar huis. Zijn moeder begon eten te verkopen. Eerst nog vanuit het huis, en toen dat goed liep, kocht ze wat golfplaten en hout, waarmee ze een piepklein eethuisje bouwde. Een *Cobo-shop*. Ze was de enige in de omgeving die een warme maaltijd verkocht, daarom had ze veel vaste klanten. Vooral vrijgezelle mannen, omdat die na hun werk gewoon geen tijd genoeg hadden om eten voor zichzelf te koken.

Zijn broers hielpen allebei de eettent draaiend te houden, terwijl Idrissa er iedere dag opuit werd gestuurd om maïskoekjes te verkopen. Hij kon maar af en toe naar school, want het geld dat hij verdiende met de koekjes-verkoop had hij hard nodig om eten voor zichzelf te kunnen kopen. Nu zijn vader was overleden, kreeg zijn moeder met de dag een grotere hekel aan hem. Ze weigerde dan ook nog voor Idrissa te zorgen. Zijn oudste broer, Steven, was nu het hoofd van het gezin, maar uiteindelijk verdween Steven, van de ene op de andere dag.

Steven zou palmolie gaan kopen voor de Cobo-shop. Hij nam de oude jerrycans mee om die te laten vullen, dat was veel voordeliger. Zo zag Idrissa zijn broer voor het laatst; toen hij hem gedag zwaaide op straat terwijl Steven moeite had de vier jerrycans te dragen. Idrissa's moeder was er lange tijd van overtuigd dat Steven een ongeluk was overkomen, terwijl de hele wijk wist dat Steven de jerrycans had verkocht en zich met het geld had aangemeld bij het rebellenleger ULIMO, daar moest namelijk een klein bedrag voor neergeteld worden. Steven had zijn kans gezien toen hij eropuit gestuurd werd met de jerrycans, want hoe klein hij ook was, zelfs Idrissa wist dat Steven graag bij ULIMO wilde gaan vechten.

Na Stevens vertrek stond Lahai ineens aan het hoofd van

het huishouden. Het was de slechtste tijd die Idrissa ooit gekend had. Hij moest keihard meewerken in de shop, water halen, kolen sjouwen, afwassen, zakken rijst sjouwen, schoonmaken, en dan had hij ook zijn koekjesverkoop nog. Hij was acht, bijna negen, en van naar school gaan kwam het niet meer.

Op een dag braken er ineens aan alle kanten gevechten uit. De rebellen van ULIMO hadden de stad aangevallen. Binnen een paar dagen namen ze de wijk waar Idrissa woonde in. Onder zijn familie hing een blije stemming, zij steunden ULIMO omdat die groepering voor hun vrijheid vocht, zeiden ze.

De wijk werd al snel overspoeld door ULIMO-rebellen. Een van de commandanten bleek zijn oom te zijn: een grote, imposante man, met brede schouders en een kaalgeschoren hoofd. Alle andere soldaten hadden een heilig ontzag voor de man. Als hij wilde gaan zitten, maakten zijn mannen het houten bankje snel voor hem schoon. Zijn enorme legerkisten werden iedere dag voor hem gepoetst. Wat de man ook maar wilde, hij kon het in een oogwenk krijgen. Idrissa was van de man onder de indruk en deed dan ook extra hard zijn best om het hem naar de zin te maken. Het werkte. Het duurde niet lang of de man begon Idrissa 'zoon' te noemen. Op een dag, toen de man een paár dagen naar een ULIMO-kamp buiten de stad was geweest, had hij een klappertjespistool voor Idrissa meegenomen. Het was zijn allereerste speelgoed ooit, hij was er zo blij mee dat hij zelfs vergat te werken. De stokslagen die hij daarvoor van zijn broer Lahai had gekregen, had hij nauwelijks gevoeld.

Al na een halve dag had hij de hele voorraaddoos klappertjes erdoorheen geschoten, maar dat was niet erg, het pistool was zonder klappertjes ook nog leuk genoeg geweest. De soldaten leerden hem schietbewegingen maken, kogels ontwijken, gevechtsmanoeuvres en andere technieken. Het was een leuk spelletje geweest. Zijn oom zorgde ervoor dat Idrissa genoeg te eten kreeg en dat hij niet meer zo hard hoefde te werken. Als de man in de stad op patrouille ging, mocht Idrissa met hem mee. Het was een hele ervaring. De andere soldaten salueerden hem als hij met zijn oom was, wat hem een enorme kick gaf.

Hij probeerde zich net zo te gedragen als de soldaten. Het typische macholoopje, het spugen op de grond, tanden-stoker in zijn mondhoek, een sigaret tussen zijn lippen. Het klappertjespistool bond hij met een elastiek aan een broeklus. Ondanks de oorlog had hij een geweldige tijd. Maar de dag kwam dat zijn oom buiten Monrovia gestatio-neerd zou worden. Een grote Toyota pick-up kwam de man ophalen bij de Cobo-shop van Idrissa's moeder. Het was een grote teleurstelling voor Idrissa, die aan de man gehecht was geraakt. Toen zijn oom hem vroeg met hem mee te gaan naar de basis, hoefde hij er dan ook geen seconde over na te denken. Zonder zijn moeder gedag te zeggen, was hij naar de pick-up gerend en had zich achterin proberen te proppen. Hij wilde maar wat graag mee, weg bij zijn moeder en Lahai, het avontuur tegemoet.

Even was het spannend en leuk geweest, de autorit. Hij had vóór die dag nog nooit in een auto gezeten, en het was een grote eer geweest om in zo'n bak te mogen meerijden. Zijn voeten steunden op een grote kist met wapens, naast hem op de bank lagen stapels munitie in een grote boodschappentas. Hij had zich als een koning gevoeld tussen de grote, sterke soldaten in. Maar net buiten de stad kwam de pick-up plotseling onder vuur te liggen. De soldaten van Charles Taylor, het NPFL, vielen hen aan vanuit een hinderlaag. De kogels kwamen met harde klikken in de portieren van de auto terecht.

Alle soldaten sprongen snel uit de auto, ook Commando, Idrissa's oom. Hij hoorde zijn oom het bevel geven het vuur op de vijand te openen. Direct klonken er overal geweerschoten. De kogels vlogen over en weer. Idrissa was zo bang geweest, dat hij ervan had moeten overgeven. Het had zijn oom razend gemaakt. 'Ik wil geen traan op je kop zien, hoor je me, wees een man!' had hij tegen Idrissa gebulderd. Zijn oom had op de andere jongen in de auto gewezen, een jaar of twee ouder dan Idrissa, die beweging- loos was blijven zitten. De jongen knipperde zelfs niet met zijn ogen. 'Gedraag je zoals hij', had zijn oom naar hem geroepen. Idrissa vond het vreselijk dat zijn oom zo tegen hem tekeerging, en hij wilde al helemaal niet dat zijn oom hem een watje zou vinden. Hij slikte zijn tranen in. Hij zou zich als een man gedragen, zwoer hij bij zichzelf.

Hun groep was veruit in de minderheid geweest, maar toch was het ze gelukt om weg te komen. Een van de soldaten was gewond geraakt aan zijn schouder, waardoor de auto stonk naar bloed, maar niemand sloeg acht op de jongen die duidelijk pijn leed. In de pick-up heerste een jubelstemming. Ze hadden het gevecht gewonnen! De drankvoorraad die de mannen hadden meegenomen, sneuvelde vrijwel direct. Iedereen zette het op een zuipen, ook de gewonde soldaat, en omdat hij zich dapper had gedragen, kreeg Idrissa zelf ook een flinke teug gin te drinken.

Op de basis maakte hij kennis met zijn tante, de vrouw van Commando. Typisch genoeg had zij de naam Angel. Of dat haar echte naam was, heeft hij nooit geweten. Angel verwende hem tot en met. Hij kreeg grote stukken vlees door zijn eten, hij hoefde weinig huishoudelijke klussen te doen en ze leerde hem ook marihuana te roken. De eerste keer ging zijn hoofd ervan zweven en werd hij er misselijk van, maar na een tijdje vond hij het lekker om te doen. Zeker als hij er een lachkick van kreeg. Dat hij op een legerbasis woonde, ging totaal aan hem voorbij en ook het gevecht tijdens de reis naar de basis was hij zo vergeten. Er waren meer jongens van zijn leeftijd op de basis, en omdat die allemaal ingelijfd waren bij de ULIMO, als soldaten, had hij ook graag lid willen worden van de rebellen. Hij had overwogen het aan zijn oom te vragen, maar hij wilde niet lastig zijn, en hij was ergens ook een beetje bang. Telkens als hij erover dacht zichzelf als soldaat aan te melden, herinnerde hij zich de gevechten van die ene dag in de pick-up weer, en dat weerhield hem ervan het door te zetten.

Maar op een dag had zijn oom het hem zelf gevraagd, of hij zich niet wilde aanmelden als soldaat. Hij kon niet weigeren, en dat wilde hij ook niet. Hij had zoveel aan de man te danken, en bovendien vond hij het ook een spannend idee om soldaat te worden. Omdat hij zelf de knoop niet had hoeven door te hakken, was de beslissing een stuk makkelijker geweest. Hij nam zich voor nooit meer bang te zijn, en de dapperste strijder bij ULIMO te worden. Hij zou nog beter worden dan zijn oom. Nog harder. Nog wreder. Zijn oom zou trots op hem zijn. Het wereldje van de ULIMO was een machowereldje, een wereld waar je werd geprezen en bewonderd als je keihard was. Idrissa wilde toen niets liever dan deel van hen uitmaken, zodat ook hij bewonderd zou worden.

Als negenjarige was hij de jongste soldaat bij de ULIMO. Hij werd ingedeeld bij de jongens van veertien en ouder. Idrissa leerde zich op te drukken, hoe hij moest marcheren, hij leerde te gehoorzamen aan commando's, en aan het einde van de week mocht hij zijn eerste pistool vasthouden. Het was een grote eer. Het was nog machtiger geweest dan het klappertjespistool dat zijn oom hem in Monrovia had gegeven. Het gevoel van een echt pistool in zijn hand was zo'n kick voor hem geweest, dat hij nauwelijks kon wachten tot hij er eindelijk mee mocht schieten. Hij was nog nooit zo gelukkig geweest als toen hij daadwerkelijk mocht schieten, voor de allereerste keer. Het voelde nog beter dan hij zich had voorgesteld. En nu hij eenmaal wist hoe hij moest schieten, voelde hij zich oppermachtig. Niemand kon hem nog iets maken. Op een veldje op de trainings-basis werd hem geleerd hoe hij mensen moest vermoorden, zowel met een geweer als met de bajonet aan de achterkant van een AK-47. Idrissa leerde hoe hij een wapen moest ontmantelen, schoonmaken en repareren. Hij raakte volledig in de ban van het rebellenleventje.

Pas toen hij eenmaal in zijn uniform stond, een gescheurde spijkerbroek met een zwart T-shirt en een zakdoek als hoofdband, hoorde hij waar de ULIMO eigenlijk voor streed. De rebellen vertelden hem dat de vijand, het rebellenleger NPFL van Charles Taylor, het land wilde verwoesten en de Madingo-stam wilde uitroeien. NPFL stond voor Nationaal Patriottisch Front van Liberia, maar als kleine jongen had hij dat niet eens kunnen onthouden. De ULIMO wilde het land bevrijden van de mannen van Charles Taylor. Tenminste, dat vertelden ze Idrissa en hij geloofde het. Maar het maakte hem ook niet zo heel veel uit waar de ULIMO voor streed. Hij begreep het niet eens helemaal. Hij streed mee vanwege zijn oom en omdat hij graag soldaat wilde zijn. Een pistool hebben, bewonderd worden, dat was alles wat er voor hem toe deed.

In het begin, toen hij net soldaat was, moest hij voornamelijk de rotklussen doen. Soms hield hij 's nachts de wacht. Hij rookte constant marihuana, en hij leerde in die tijd ook zwaardere drugs te gebruiken. Cocaïne, crack, speed en een mix van cocaïne en kogelkruit, een mengsel dat ze *brawn-brawn* noemden. Van de oudere soldaten kreeg hij vaak sterke drank. Vooral gin vond hij lekker, zijn hoofd ging er van 'stuiteren'. In combinatie met marihuana maakte de gin hem gek, en wilde hij niets liever dan meedoen met de gevechten.

Idrissa hoefde er niet lang op te wachten. Een paar weken nadat hij was ingelijfd bij ULIMO, verscheen er een NPFL-soldaat op een van de heuvels die het kamp omsloten. De soldaat zwaaide de witte vlag. Vanachter de heuvels klonken seinschoten, een salvo dat klonk als '*boys, girls, come to school*'. Pam, pam. Pam pam pam. Het was het teken dat ze hadden afgesproken als 'sein veilig', het teken dat alles in orde was. Het was een valstrik. De NPFL was achter de geheime code gekomen en gebruikte die om de ULIMO-basis te omsingelen.

Er volgde een afschuwelijk gevecht. Idrissa werd met een wapen de bush ingestuurd om de confrontatie aan te gaan.

Toen ze recht tegenover de vijand kwamen te staan, werd er tegen Idrissa geroepen dat hij moest schieten. Hij zette het geweer tegen zijn schouder en richtte. 'Schiet, schiet!' klonk het achter hem. Met heftig trillende vingers probeerde hij de trekker over te halen. Beng! In het donker zag hij de kogel door de lucht vliegen. Of hij iemand had geraakt wist hij niet. Hij haalde de trekker nog een keer over, en nog een keer, en nog een keer. Hij bleef schieten totdat de NPFL-rebellen overmeesterd waren. Omdat hij stoned en dronken was, drong het niet zo goed tot hem door wat er gebeurd was. Hij lachte en joelde mee met de andere mannen. Toen ze uit de bush terugkeerden, dwong Idrissa's oom hem om het hoofd van een van de gevangengenomen rebellen af te hakken. Idrissa ging achter de man staan en probeerde hem te onthoofden, maar dat ging ongelofelijk moeilijk. Een van de andere soldaten zette een fles gin aan zijn lippen. De drank zou hem meer kracht geven. Alle andere soldaten moedigden hem aan. Hij moest harder zijn best doen, werd er geroepen. 'Het is een rebel, niet je moeder', had iemand geroepen. Maar een hoofd afsnijden is wel iets anders dan een kogel afvuren op een slagveld, en Idrissa had er dan ook moeite mee. Het feit dat het zo'n zware klus was, en ontzettend lang duurde, maakte het nog veel moeilijker. De doodsstrijd van zijn slachtoffer vervulde hem met angst. Het leek een eeuwigheid te duren, maar uiteindelijk lukte het hem de rebel te onthoofden. Even had hij afschuw gevoeld, maar dat gevoel maakte snel plaats voor trots toen zijn oom hem een ferme handdruk gaf en hem promoveerde tot man. Idrissa was trots en gelukkig. Commando had hem erkend. Hij werd gerespecteerd door een groot krijger, dat was alles wat hij nodig had.

Zolang hij in de eenheid van zijn oom vocht, had hij het makkelijk. Hij moest geregeld mee naar de frontlinies, maar hij had plezier in het vechten, en hij werd er steeds beter in. Hij had wel een pistool in die tijd, maar hij kreeg maar heel weinig kogels, soms zelfs helemaal geen. Meestal moest hij met een groot kapmes vechten, een machete, wat ongelofelijk moeilijk voor hem was. Samen met een groep andere jongens, rende hij met zijn machete als eerste het slagveld op om de vijand aan te vallen. Sommige soldaten waren zo verbaasd toen ze de jongens op zich af zagen komen dat ze vergaten te schieten. Die soldaten waren het makkelijkst te overmeesteren geweest. Heel af en toe kreeg hij een geweer mee om te vechten, maar hoe hard hij er ook op oefende om zo'n ding te hanteren, hij kreeg het als negenjarige niet voor elkaar. Schieten, rennen, wegduiken voor kogels, de vijand in het vizier krijgen, richten, het lukte hem allemaal, maar het doel treffen... daar was het geweer gewoon te krachtig voor. Telkens als hij de trekker overhaalde, beukte het geweer hard tegen zijn schouder, waardoor hij grip verloor, en de loop iedere keer omhoogschoot. Soms, als hij te weinig had gegeten, kon het geweer hem zelfs onderuit beuken.

In het begin, de eerste paar maanden, was hij vaak bang geweest. Bang dat een kogel hem zou raken, want dikwijls zat hij tussen twee vuren in. Dat van de vijand en dat van zijn eigen leger. Toen hij nog niet zo aan de drugs gewend was, ging zijn hoofd er vaak van tollen. Dan zag hij wazig en leek het net alsof alles in de verte gebeurde, in slow motion. Vooral de marihuana, die zelfs door zijn eten en zijn thee werd gedaan, maakte hem traag en slaperig. Maar na een tijdje hielp de marihuana hem juist om zich beter te kunnen concentreren op het vechten. Na een paar maanden bij de rebellen, waren het vechten en het doden normaal voor hem geworden. Het was niet moeilijk meer om te doen. Behalve als de vijand hem in zijn ogen bleef kijken, dan droomde hij er later van. Maar meestal, als hij genoeg drugs genomen had, zag het andere leger eruit als een bende krioelende mieren. Of ratten, of ander ongedierte. Hoe vaker hij vocht, hoe beter hij werd. Iedereen die met een wapen op hem af durfde te komen, maakte hij morsdood. Hij had een bloedhekel aan de vijand, en hij wilde dan ook altijd graag mee naar de frontlinie.

Op een dag, toen de vijand niet meer in hun buurt durfde te komen, ging hij met zijn oom mee op patrouille, om de vijand op te sporen. Het was een barre tocht, te voet, maar hij had niet durven klagen. Het was een grote eer dat hij mee mocht met de belangrijkste mannen van zijn eenheid, dat wilde hij niet verpesten. Na twee dagen trekken was hun rantsoen op. Ze waren bij een buitenwijk van Monrovia aangekomen. De mannen besloten een van de betere wijken in te gaan, om geld 'op te halen'. Ze drongen het erf op van een groot, vrijstaand huis.

Op het voorerf zat een jongetje te spelen, zijn ouders waren snel naar binnen gevlucht toen ze de rebellen hadden zien aankomen. Terwijl Commando en zijn mannen de bewoners dwongen naar buiten te komen, probeerde Idrissa vriendschap te sluiten met de jongen. Maar de jongen was bang voor hem geweest, en had hem steeds 'meneer' genoemd, terwijl ze allebei ongeveer even oud waren. Ze waren net een beetje met elkaar aan de praat geraakt, toen ze werden opgeschrikt door een geweerschot.

Commando had in de lucht geschoten omdat de vader van het joch niet mee wilde werken. De man weigerde zijn geld af te staan, zelfs nadat Commando hem een van zijn vingers had afgesneden.

Nog nooit had hij meegemaakt dat iemand Commando iets durfde te weigeren. Hij had zijn adem ingehouden, hij wist dat dat niet goed af kon lopen. Zijn oom had hem erbij geroepen en had hem proberen te dwingen de man te onthoofden. Maar hij had geweigerd. Hij had geen drugs op waardoor hij zich gewoon niet kwaad genoeg kon maken, en daarbij, dit was niet de vijand. Dit was een gewone man, de vader van het bange jongetje. Idrissa begreep heel goed hoe het is om je vader te verliezen, daarom kon hij het niet.

Terwijl een van de andere jongens de man zijn hoofd afsneed, had hij aan zijn eigen vader gedacht, en had hij bijna moeten overgeven bij het idee dat misschien wel precies hetzelfde bij zijn eigen vader gebeurd was.

Geschrokken had hij toegekeken hoe het jongetje huilend op het dode lichaam van zijn vader was gaan liggen.

Commando had het joch hard weggetrapt. De moeder werd erbij gehaald. Commando dwong haar het hoofd op te pakken en in haar armen te houden. Ze moest dansen, op en neer springen, het hoofd in de lucht gooien en weer opvangen. Het was gruwelijk.

Alle andere soldaten waren uitzinnig. Ze schreeuwden, dansten en krijsten van plezier. Idrissa en het jongetje keken met open mond toe. De kogel die de vrouw uiteindelijk doodde, leek uit het niets te zijn gekomen. Hij heeft nooit geweten wie het heeft gedaan.

Het jongetje, dat Thomas bleek te heten, hadden ze meegenomen naar de bush. Iedere keer als Thomas begon te huilen, sloeg Commando hem met zijn vuist hard op zijn hoofd. Na een tijdje was Thomas gestopt met huilen. Idrissa probeerde hem op te vrolijken, door hem alle leuke dingen over het soldaat-zijn te vertellen. Hoe geweldig het was om te schieten, om een eigen pistool te hebben, maar het had niets geholpen.

Toen ze 's avonds hun kamp bereikten, kreeg Idrissa strafcorvee omdat hij een bevel van zijn meerdere niet had uitgevoerd. Hoewel hij de hele dag had gelopen, kreeg hij niets te eten en te drinken. 's Nachts werd hij op wacht gezet. Commando weigerde dagenlang tegen hem te praten. De man was razend op hem. De jongen die de vader van Thomas vermoord had, was ineens het lievelingetje van zijn oom geworden. Het had Idrissa gek gemaakt van jaloezie.

Toen zijn straf er eenmaal op zat, ontfermde hij zich over Thomas. Hij leerde de jongen gevechtstechnieken, schieten, alles wat hij zelf wist. Maar Thomas bleef teruggetrokken. Toen hij bij zijn eerste gevecht plat op de grond ging liggen en weigerde op de vijand af te gaan, schoot Commando hem dood. Hij gaf Idrissa er de schuld van dat de jongen zo'n slechte soldaat was. Idrissa kreeg een waarschuwing. Als hij de volgende keer geen 'killer' wist te maken van zo'n joch, zou hij zelf ook een kogel krijgen.

Er brak een moeilijke tijd aan voor Idrissa. Omdat hij zulk slecht werk had geleverd, werd zijn pistool hem afgenomen en moest hij steeds met een mes vechten, waardoor hij lang niet zo goed was op het slagveld als de andere jongens, die met geweer vochten. Wie de minste slachtoffers wist te maken, of gewoon niet hard genoeg meevocht, moest tijdens de schafttijd helemaal achter in de rij gaan staan. Alleen als hij geluk had, was er nog genoeg te eten voor hem. Soms was er helemaal niets meer over, dan moest hij met een lege maag naar bed, en vaak ook met een lege maag de volgende dag het slagveld op. Daarbij kreeg hij minder drugs, en al helemaal geen sterke drank meer, waardoor hij het steeds moeilijker had zich te concentreren op het vechten.

Zonder drugs en alcohol was hij vaak te bang om op de vijand af te gaan. Als hij zijn oude positie wilde heroveren, moest hij iets drastisch doen. Iets waar iedereen steil van achterover zou slaan. Waar ze hem om zouden bewonderen. Dan zou hij misschien in één klap ook weer in de gratie komen bij zijn oom.

Het duurde een paar weken voordat zich zo'n mogelijkheid voordeed. Er waren een aantal nieuwe mannen bijgekomen in zijn eenheid. Traditionele herbalisten die met hun kennis van de Koran magische krachten konden oproepen. Ze voerden allerlei rare rituelen uit waar de andere soldaten bang voor waren. Ze aten bladerenmengsels die nog sterker waren dan cocaïne. Ze smeerden zichzelf in met bloed en ze aten de organen van hun slachtoffers op, omdat ze daar volgens hen magische krachten van kregen.

Toen Commando zich bij de mannen aansloot, besloot Idrissa hetzelfde te doen. Dit was zijn kans om zijn pistool terug te krijgen, en misschien gaven ze hem ook wel een geweer. Hij huiverde bij de gedachte dat hij een mens moest eten, maar hij moest wel. Zonder wapen was hij zijn leven niet zeker. Niet tijdens de gevechten, maar ook niet in zijn eigen eenheid. De andere jongens hadden hem al verschillende keren met de dood bedreigd, en hij was ook al een paar keer goed in elkaar geslagen. Jongens die waardeloos waren tijdens de gevechten, kregen soms, net zoals het bij Thomas gegaan was, van hun eigen mannen een kogel in de rug.

Op een dag, na hevige gevechten waarbij hun eigen eenheid vele soldaten had verloren, namen ze na hun overwinning het lijk van de sterkste strijder van hun vijand mee naar hun kamp. De herbalisten, zoals de mannen zichzelf noemden, sneden de rebel voor het oog van de eenheid open, en tapten een plastic beker met bloed af. Alle herbalisten namen een slok en gaven de beker door aan Commando. De man sloot zijn ogen, zette de beker aan zijn lippen en dronk een paar grote slokken.

De soldaten jubelden en applaudisseerden, maar toen Commando zijn eenheid uitdaagde hetzelfde te doen, stapte niemand naar voren. Het was te gruwelijk, zeiden ze.

Uiteindelijk stapte Idrissa naar voren, pakte de beker met bloed aan en gooide het in één teug achterover. Zijn hoofd tolde en zijn maag draaide zich om van misselijkheid, maar het gejuich van de mannen bracht hem weer bij zijn positieven.

Commando gaf hem trots een klap op zijn rug. Idrissa genoot van de bewondering die hij van alle kanten kreeg. Een van de herbalisten overhandigde hem een stuk hart. De man vertelde Idrissa dat als hij het opat, hij de kracht van de dode krijger zou ontvangen. Hij geloofde er niets van, maar toch zette hij zijn tanden in het hart. Het ging hem om zijn pistool en een geweer en niet om de zogenaamde magische krachten. En hij kreeg zijn zin. Direct na de ceremonie kreeg hij een gloednieuw pistool en een AK-47, een automatisch geweer. Hij zwoer bij zichzelf dat hij ervoor zou zorgen dat ze hem nooit meer afgepakt zouden worden. Hij zou alles, maar dan ook alles doen om deze positie te behouden. Nooit meer zou hij iemand de kans geven om hem uit zijn functie te ontslaan. Zelfs Commando niet.

Dikke regendruppels op zijn hoofd deden hem opschrikken. Het begint al te schemeren. Andy trekt zijn shirtje over zijn hoofd en begint te dansen in de regen. Het buurmeisje slaat hem lachend met de kleine handbezem op zijn kont. De twee kinderen hebben de grootste lol. De donkere wolken werpen een onheilspellende schaduw op de grond. Idrissa pakt het waterpistool van de grond en laat het langzaam vollopen met regenwater. Als het ding vol is, steekt hij het voor zich uit en richt de straal op een boom. Er trekt een gevoel van opwinding door zijn lichaam. Geschrokken gooit hij het speelgoed op de grond en vermorzelt het met de hak van zijn schoen. Hij heeft verschrikkelijke dingen gezien in de oorlog. Verschrikkelijke dingen gedaan. Maar dat is voorgoed voorbij. Hij zweert bij zichzelf dat hij nooit meer een wapen vast zal houden. Hij is geen soldaat meer en dat zal hij ook nooit meer worden.

Snake

Die nacht komt Idrissa moeilijk in slaap. Telkens als hij zijn ogen dichtdoet, keert hij weer terug naar de oorlog. Slechte herinneringen en spijt wisselen zich af met goede herinneringen, en een gevoel van trots. Als kind was vechten zijn leven geweest. Hij had niet beter geweten. En hij had heel wat bereikt als soldaat.

Na twee jaar in Commando's eenheid, was Idrissa een ervaren strijder geworden. Hij was pas elf jaar en had al de leiding over vijf andere jongens die hij zelf bij gevechten uit dorpen ontvoerd had. Als ze door de ULIMO-training kwamen, gaf hij ze zelf nog eens zijn eigen training. Twee jongens waren zijn training niet doorgekomen. Een van hen had hij de opdracht gegeven een oudere jongen van de eenheid te vermoorden op het slagveld. Het rotjoch dat destijds zo nodig de held had moeten uithangen, die dag met de vader van Thomas. Maar zijn rekruut was te schijterig geweest. Daarom had Idrissa hem vermoord, lafaardgedrag pikte hij niet.

De andere rekruut doodde hij bij een aanval op een dorp dicht bij Monrovia. De jongen was al een tijdje bij Idrissa's eenheid en ze hadden hem heel ergens anders ontvoerd, maar de oma van de jongen bleek in dat dorp te wonen.

Oma had hem herkend en Idrissa gesmeekt hem bij haar te laten. Hij had de jongen daarop het commando gegeven zijn oma te vermoorden, maar hij had geweigerd. Toen een van de andere jongens daarop de oma vermoordde, had het rotjoch geprobeerd op Idrissa te schieten. Hij doodde het jong niet meteen, maar nam hem mee terug naar het kamp, waar hij hem levend begroef. Alleen zijn hoofd stak boven de grond uit. Hij liet zijn kleine eenheid iedere dag op het hoofd van de jongen plassen en liet de jongen zo langzaam creperen. Sindsdien had niemand het in zijn hoofd gehaald hem nog iets te flikken.

Ook op het slagveld blonk hij uit door zijn wreedheid. Hij vocht hard en kende geen genade. Zijn eenheid had respect voor hem, en sommige mannen weigerden zelfs naar de frontlinie te gaan als Idrissa niet met hen meeging. Hij had niet te klagen. Alles wat hij wilde, kon hij krijgen. Hij raakte verslingerd aan *brawn-brawn*, waar zijn bloed van ging koken, en waardoor zijn aders zó opzwollen, dat hij het gevoel had dat hij ieder moment kon ontploffen. Het was een vreemd, maar ook een ontzettend lekker gevoel. Alsof hij constant bruiste. Zonder dat spul was hij een ander mens en voelde hij zich totaal niet lekker.

Op een dag moesten ze zich aansluiten bij een andere eenheid om de vijand in dat gebied te kunnen overmeesteren. De commandant van die eenheid leek in niets op Commando. Hij was zo mager als een lat en hij had geniepige ogen. Idrissa vond hem weinig indrukwekkend, maar zelfs zijn oom was bang voor de man. Hij moest dus wel een bijzondere kracht hebben, daar raakte hij van overtuigd.

Na de gevechten probeerde hij dicht bij de man in de buurt

te blijven, om erachter te komen wie hij was en hoe belangrijk hij was. In tegenstelling tot wat hij gedacht had, bleek het uiteindelijk helemaal niet moeilijk om met de man in contact te komen. Snake, zoals hij zichzelf noemde, was net zo geïnteresseerd in Idrissa als omgekeerd. Snake prees hem om zijn gevechtskwaliteiten en zijn onverschrokkenheid. Hij wilde Idrissa een promotie geven, bij een andere eenheid, zodat hij beter tot zijn recht zou komen. Snake waarschuwde hem dat Commando niet wilde dat Idrissa beter in het vechten zou worden dan hijzelf was, en vertelde hem dat hij kon zien dat Idrissa veel meer in zijn mars had. Idrissa wilde Snake niet geloven, maar toch, Commando hield hem inderdaad vaak tegen als hij zelf initiatief wilde tonen. Maar hij kon zijn oom niet zomaar verlaten, daarvoor was de man te goed voor hem geweest. Idrissa besloot om zijn oom gewoon om promotie te vragen, dat vond hij wel zo eerlijk.

Commando weigerde hem zijn promotie. De man had in eerste instantie alleen maar gelachen, maar toen Idrissa voet bij stuk hield werd hij razend en liet Idrissa opsluiten in de martelkamer. Hij kreeg een te grote bek vond Commando, en als hij niet uitkeek, zou er met hem afgerekend worden. Een paar van de oudere mannen sloegen hem in de martelkamer met stokken, hij werd geschopt, gekneveld, ze urineerden over hem heen en hij moest constant staan, twee lange dagen achter elkaar. Ondanks zijn pijn. De eerste dag onderging hij de martelingen gelaten, maar de tweede dag begon hij op wraak te zinnen.

Snake had hem gewaarschuwd, waarom had hij niet geluisterd? Commando was gewoon bang voor hem, daarom wilde hij Idrissa geen promotie geven. Maar dat liet hij niet zomaar op zich zitten. Zodra hij uit de martelkamer werd vrijgelaten, pakte hij zijn geweer en ging op zoek naar Commando. Zijn oom stond voor zijn manschappen bevelen uit te delen. Van grote afstand richtte Idrissa zijn geweer op de man en haalde de trekker over. De kogel ketste vlak voor zijn voeten tegen de grond.

De schrik stond in Commando's ogen, maar toch deed hij alsof hij niet bang was voor Idrissa. 'Jij, ondankbare rat!' riep hij Idrissa venijnig toe. 'Unit 4, open het vuur op die etter.' De mannen van unit 4 richtten hun geweren op hem, maar op het moment dat ze de trekker wilden overhalen, liep Snake ontspannen hun schootsveld binnen. 'Er wordt niet geschoten', zei hij kalm. Met zijn hand maakte hij het gebaar dat de wapens in rust gehangen moesten worden. Hoewel de mannen van Unit 4 onder het gezag van Commando vielen, luisterden ze naar het bevel van Snake. De man had een hogere rang dan Commando, en daarom was hij uiteindelijk de baas over iedereen.

'Commando, jongen, het lijkt erop dat je je jongen niet meer in de hand hebt. Waarom geef je hem niet aan mij? Ik kan zijn soort heel erg goed gebruiken', zei Snake. Zijn ogen fonkelden.

Commando weigerde. 'Ik heb je vanmiddag al verteld dat Idrissa met niemand meegaat. Hij is mijn eigen jongen, mijn zoon. En ik geef hem al helemaal niet in jouw duivelse handen.' Commando's neusvleugels gingen wild op en neer. De aders in zijn voorhoofd kon Idrissa zelfs van meters afstand heftig zien kloppen. Commando was ontzettend kwaad.

'Commando, kalmeer een beetje man. Ik denk dat Idrissa

het voortreffelijk zal doen in de *Small Boys Unit*. Maar laten we hem zelf vragen wat hij wil.' Snake stak zijn vinger uitdagend naar Idrissa en gaf hem een sein dat hij moest antwoorden.

Commando was hem voor. 'Ik zei nee, punt uit', zei hij vastbesloten.

Snake keek Idrissa doordringend aan. 'Idrissa?' vroeg hij. Even zat hij in tweestrijd, maar zijn pijnlijke ribben herinnerden hem aan de behandeling die hij van Commando had gekregen. Hij haatte de man. Vastbesloten zei hij daarom: 'Als je me geen toestemming geeft met Snake mee te gaan, schiet ik je overhoop, begrepen?'

Met een moedeloos gebaar haalde Commando zijn schouders op. 'Begrepen', antwoordde hij. 'Maar ik hoop dat je je goed in je kop knoopt dat je het zelf hebt gewild. Als je vertrekt, dan blijf je daar ook. Je hoeft niet met hangende pootjes terug te komen.'

Idrissa lachte. 'Maak je geen zorgen, opa. Ik hoef niks meer van je.'

Snake grijnsde boosaardig. 'Goed, dan lijkt het me tijd om te gaan, voordat er ongelukken gebeuren.' Met een handgebaar gaf hij zijn mannen het commando met de wagen voor te komen rijden. Idrissa rende snel terug naar zijn slaapplaats, propte zijn kleding en zijn pistool in een tas en haastte zich daarna naar Snakes wagen. Hij voelde zich oppermachtig achter in de laadbak. Terwijl ze wegreden, richtte hij zijn geweer nog één keer op Commando. Hij kon de man makkelijk uitschakelen, maar hij bedacht zich. Commando zou nog wel een keer aan de beurt komen.

De Small Boys Unit waar Snake hem naartoe bracht, was een grote eenheid vol met jongens van zijn eigen leeftijd. Eerst leek hem dat fantastisch, maar al na een paar uur had Idrissa er spijt van dat hij met Snake was meegegaan. In de eenheid van Commando was er orde geweest, de Small Boys Unit was één grote chaos en de jongens waren volkomen geflipt. Toen hij per ongeluk op de tenen van een achtjarige jongen ging staan, had hij al bijna een kogel te pakken. Hij wilde Snake vragen hem terug te brengen naar zijn oom, maar hij slikte zijn woorden in bij de herinnering aan de woorden van zijn oom dat hij niet met hangende pootjes terug hoefde te komen.

Hij sprak met zichzelf af dat hij zich hoe dan ook niet zou laten kennen. Hij zou zichzelf zo snel mogelijk bewijzen tegenover de andere jongens, zodat ze zouden weten dat er met hem niet te spotten viel. Maar dat was makkelijker gezegd dan gedaan. De Small Boys Unit zat vol met wilde jongens tegen wie hij gewoon niet op kon. Er werden zelfs jongens doodgestoken als ze probeerden voor te dringen bij het eten. Iedereen ging constant met elkaar op de vuist, het leek wel alsof niemand elkaar mocht in de Small Boys Unit.

Hoe hard hij ook probeerde bondgenootschappen te sluiten of vriendschappen, het lukte hem niet. Toen hij voor de eerste keer mee moest om te gaan vechten, was hij doodsbang. Om het van de vijand te kunnen winnen, moest je goed kunnen samenwerken. Elkaar dekking geven bijvoorbeeld, maar dat gebeurde nauwelijks. Idrissa was tijdens de gevechten niet alleen bang voor de vijand, maar ook voor zijn eigen collega's. In Commando's eenheid had hij al heel lang geleden geleerd hoe gevaarlijk het was als je eigen collega's een hekel aan je hadden. En waar hij voor gevreesd had, gebeurde ook. Hij zag hoe de jongens van zijn eigen eenheid hun geweren op elkaar richtten en op elkaar begonnen te schieten. Met een flinke nederlaag moesten ze het uiteindelijk opgeven. Idrissa wist dat alleen geluk hem in leven had gehouden die dag.

's Avonds, terwijl de andere jongens bij het kampvuur hingen, trok hij zich terug op de slaapplaats. Hij moest vechten tegen zijn tranen. Hij had de verkeerde beslissing genomen en er was geen weg meer terug. Toen hij voetstappen hoorde naderen, probeerde hij de brandende tranen achter zijn oogleden snel weg te drukken door met zijn vingers hard over zijn ogen te wrijven. Snake kwam naast hem zitten.

'Hé, wat is dat?' riep de man kwaad, toen hij Idrissa's gezicht zag. 'Zit mijn dapperste commandant hier nou gewoon een potje te janken?'

'Nee, meneer', probeerde hij zo stoer mogelijk te zeggen, maar zijn ingehouden tranen klonken door in zijn stem.

'Als je niet snel ophoudt met janken, zal ik je iets om te janken geven', dreigde Snake. Hij balde zijn vuist om te laten zien dat het hem menens was.

'Ja, meneer', antwoordde Idrissa. Zijn stem klonk nog steeds trillerig.

'Nou vooruit, vertel op, wat is nou eigenlijk het probleem?' vroeg Snake.

Hij had eigenlijk niet willen klagen, maar Snake verwachtte duidelijk een antwoord. Idrissa besloot gewoon eerlijk te zijn. 'Meneer, ik wil niet, ik bedoel... het is... niet om u te bekritiseren of zo, maar...' hij kwam niet uit zijn woorden.

'Je maakt me kwaad, jochie', zei Snake ongeduldig.

'Sorry, meneer', verontschuldigde Idrissa zich. 'Het was gewoon de nederlaag van vandaag. Ik was bang op het slagveld. Dat is me nog nooit gebeurd, echt, ik zweer het... Maar deze jongens...'

'Ik weet het', onderbrak Snake hem. 'Het is een zooitje ongeregeld, maar dat komt gewoon omdat we er heel veel nieuwe soldaten bij hebben gekregen. De jongens hebben een goede leider nodig. Daarom heb ik jou gevraagd bij ons te komen vechten. Jij kunt toch wel een echt leger van die etters maken?'

'Ik?' vroeg Idrissa ongelovig. Wilde Snake hem nu de leider over al deze jongens maken? Ze waren zeker met een stuk of veertig, dat zou hem nooit lukken.

'Als je nou eens begint er vijftien onder je hoede te nemen en ze goed te trainen. Als dat je lukt, geef ik je meer soldaten.'

Idrissa vergat op slag zijn angst en hoorde zichzelf aan Snake beloven dat hij zijn jongens binnen een maand omgetraind zou hebben tot échte soldaten.

De volgende ochtend nam Snake hem mee naar zijn nieuwe manschappen. Snake pikte vijftien jongens uit voor Idrissa, die vanaf dat moment onder zijn gezag zouden vallen. Idrissa gloeide van trots. Hij had een grote promotie gemaakt. Drie van zijn 'mannen' waren zelfs ouder dan hij. Snake moest wel ontzettend veel vertrouwen in hem hebben. Hij zou de man niet teleurstellen. Hij wist al precies hoe hij het zou aanpakken. Hij moest zo snel mogelijk vrienden zien te worden met de meest bijdehante onder hen. Dat was Baby Killer, zonder twijfel. Een jongen met een verwilderd gezicht, wijde neusgaten en ongelofelijk dikke lippen. Idrissa mocht hem op het eerste gezicht niet.

De jongen had een gevaarlijke reputatie. Hij had gehoord dat ze hem Baby Killer noemden omdat hij ervan genoot om baby'tjes te vermoorden bij aanvallen op dorpen. Vijftien schatte Idrissa hem. Of misschien ietsje jonger, maar in ieder geval een stuk ouder dan hijzelf. Misschien was het alleen maar omdat Baby Killer zo'n rotkop had, en omdat hij zo'n afschrikwekkende uitdrukking op zijn gezicht had, waardoor Idrissa bang voor hem was. Hij slikte zijn angst weg en stapte op Baby Killer af.

'Baby Killer', zei het met onvaste stem, terwijl hij toch zijn best deed om zo volwassen mogelijk te klinken. 'Baby Killer', zei hij nog een keer. 'Jij wordt mijn rechterhand, mijn ogen en mijn oren. Waar ik ga, ga jij. Als ik er niet ben, heb jij de leiding over mijn mannen. Begrepen?' Hij keek Baby Killer indringend aan.

Baby Killer hoorde nu 'ja, meneer' te zeggen en hem te salueren, maar de jongen bleef onbeweeglijk staan. Uitdagend stak hij zijn kin vooruit.

'Begrepen, vroeg ik', herhaalde Idrissa geïrriteerd.

Er kwam weer geen antwoord.

Snake, die er bij was blijven staan, schudde afkeurend zijn hoofd. Idrissa wist dat hij nu moest ingrijpen, maar hij wist niet hoe. Baby Killer was ouder dan hij en eigenlijk zou de jongen dan ook de leiding over hem moeten hebben. Hij keek Baby Killer smekend aan, in de hoop dat de jongen daardoor mee zou gaan werken. Maar het werkte averechts. De jongen keek hem spottend aan en maakte toen met zijn vinger een snijgebaar over zijn keel. Alle andere jongens begonnen te lachen. Idrissa kon nog niet eens een greintje respect van ze krijgen. Hij begon te koken van woede. Als hij zijn eenheid nu niet onder zijn gezag kreeg, staken ze hem vanavond nog dood, dat wist hij maar al te goed.

Met een vastberaden beweging pakte hij zijn geweer van de grond en richtte de loop langzaam op Baby Killer. 'Oké', zei hij. Zijn stem klonk kil, maar ook kalm. 'Je laatste kans, *Baby Killer*', hij sprak de naam met minachting uit. 'Ik vergeef het je. Je kent me nog niet, dus ik vergeef het je. Maar vergis je niet in me, ook al ben ik een kleine jongen, met mij valt niet te spotten.' Hij had verwacht dat Baby Killer wel een toontje lager zou zingen met de loop van een geweer op zich gericht, maar de jongen bleef maar grijnzen. 'Goed, voor de laatste keer', zei Idrissa bars. 'Begrepen, Baby Killer?'

De jongen begon te lachen. 'Je maakt echt geen indruk, lulletje', zei hij.

Idrissa's vinger trilde aan de trekker. Snake gaf hem een goedkeurend knikje. Het woord 'lulletje' echode na in zijn hoofd toen hij de trekker overhaalde. Hij raakte Baby Killer midden in zijn gezicht. Baby Killer wankelde even en zakte toen langzaam door zijn knieën.

'Nog iemand anders die me graag "lulletje" wil noemen?' vroeg hij dreigend, terwijl hij de loop van zijn geweer langzaam langs de groep liet gaan.

Iedereen zweeg en keek geschrokken naar de grond.

'Jij!' zei hij tegen de kleinste. 'Snij hem open.' Met zijn vinger wees hij op het lichaam van Baby Killer.

De jongen schudde geschrokken zijn hoofd.

'Snij hem open, zei ik!' herhaalde Idrissa.

De jongen bleef stokstijf staan. Idrissa haalde de trekker over. De jongen viel naast Baby Killer op de grond neer.

'Geef me het hart van Baby Killer!' schreeuwde Idrissa nu tegen de groep.

Een jongen met een rode hoofdband knielde naast het dode lichaam van Baby Killer neer. Met zijn ogen dicht, sneed hij het lichaam open en overhandigde Idrissa het hart. Om de jongens nog meer schrik aan te jagen, zette hij zijn tanden erin en scheurde er een groot stuk af. Het was walgelijk. Het hart smaakte smerig en was ontzettend taai. Hij wilde niets liever dan het weer uitspugen, maar dan zouden ze hem een lafaard vinden, dus kauwde hij stug door.

Vanaf die dag durfde niemand meer bijdehand tegen hem te zijn. Het verhaal dat hij meedogenloos was, en dat hij zo wreed was dat hij zelfs een mensenhart had gegeten, was als een lopend vuurtje door het kamp gegaan. Niemand durfde hem daarom nog uit te dagen. Net zoals Commando's mannen uit respect altijd alles voor de man deden, deden ze dat in de Small Boys Unit voor Idrissa. Iedereen noemde hem nu generaal, zelfs de oudere jongens, want hij was de wreedste soldaat in zijn eenheid. Iedereen beschouwde hem als de leider.

Om zijn overwicht op de jongens te behouden, zorgde hij er altijd voor dat hij een flinke stap verder ging dan zij, en deed hij dingen die zij niet durfden. Dat werkte, al waren er ook jongens bij die hem in alles nadeden, waardoor hij steeds verder moest gaan.

Hij vocht bijna een jaar bij de Small Boys Unit en had uiteindelijk dertig jongens onder zijn commando. Toen de oorlog in buurland Sierra Leone uitbrak, werd hij gevraagd om in dat land te gaan vechten, bij rebellenleger RUF, waar hij de leiding zou krijgen over de Zebra Eenheid van de Sierra Leoonse Small Boys Unit. Weer een promotie, want hij kreeg de leiding over vijftig jongens en moest ook van hen een echt leger zien te maken. Een grote uitdaging, want de RUF verschool zich diep in de bush van Sierra Leone, van waaruit ze hun aanvallen op de dorpen pleegden, en Idrissa kende Sierra Leone nauwelijks.

Toen hij in Sierra Leone aankwam en kennismaakte met zijn nieuwe eenheid, deed hij hetzelfde als wat hij ooit in Liberia bij de Small Boys Unit had gedaan om respect af te dwingen. Hij offerde de levens van twee jongens, at een hart en dronk een beker bloed. Het had het gewenste effect. Hij was in één klap de onbetwiste baas.

In Liberia had hij nog een commandant boven zich gehad, maar in Sierra Leone was hij de enige baas. Zodra hij zich goed kon oriënteren in de bush, trok hij er in zijn eentje met zijn eenheid opuit om actie te zoeken. Als er nergens gevechten waren, overvielen ze dorpen om dingen te stelen, burgers te treiteren en meer kinderen te ontvoeren. Omdat de jongens in zijn eenheid zo jong waren, en nog niet zo ervaren als soldaten, verloren ze veel rekruten bij de gevechten. Ze moesten daarom constant op zoek naar nieuwe jongens.

Soms gingen de jongens uit zichzelf mee, vooral de jongens van vijftien en ouder, maar meestal moesten ze hun nieuwe rekruten dwingen. Soms, als ze een heel groepje tegelijk meenamen, en een van hen deed moeilijk, vermoordde hij die ene. Dat werkte meestal heel goed, want dan was de rest zó bang dat ze niet eens meer durfden tegen te sputteren. Of soms, om ze schrik aan te jagen, liet hij ze hun eigen vader of moeder vermoorden, zodat ze niet zo makkelijk zouden ontsnappen. Waar moesten ze immers naartoe als ze zoiets hadden gedaan, dat werd ze echt niet zomaar vergeven.

Eenmaal in het kamp gaf hij ze een heel zware training. Aan het einde van het programma pikte hij de zwakste jongens eruit en liet ze door de andere jongens onthoofden. Als een soort initiatie, want hij wist nog goed dat die eerste keer voor hem ooit het moeilijkst was. Na de eerste moord met de machete, waar Commando hem toe had gedwongen, had hij alles aangedurfd. Daarom deed hij hetzelfde met zijn eigen jongens.

Maar hoe hij ook met ijzeren hand over zijn jongens heerste, toch gebeurde het regelmatig dat een jongen probeerde te ontsnappen. Dat kon hij niet laten gebeuren, want als er eentje in slaagde weg te komen, zouden ze het uiteindelijk allemaal gaan proberen. Hij verzon de meest wrede martelmethoden om de ontsnappers te straffen. Sommigen begroef hij levend, sommigen sneed hij een hand af, of een arm, maar meestal wreef hij hun ogen in met brandende bladeren, waardoor ze blind werden. Zo stuurde hij ze dan naar de frontlinie, waar ze door de vijand werden vermoord. Hij had met niemand medelijden. Wie hem probeerde dwars te zitten, moest het maar voelen.

Hoe langer hij vocht, hoe meer drugs en alcohol hij ging gebruiken. Iedere ochtend dronk hij een beker bloed zodat hij kracht zou hebben om zijn manschappen onder controle te houden. Het was geen makkelijke klus. Soms flipte een jongen door de drugs en begon dan in het wilde weg te schieten. Met gevaar voor eigen leven moest hij er dan voor zorgen dat zo'n jongen zijn geweer neer zou leggen. In het begin schoot hij ze gewoon dood, maar dat kon hij niet blijven doen. Hoe langer de oorlog duurde, hoe moeilijker het werd om nieuwe rekruten te vinden, en iemand die al ervaren was in het vechten, kon je beter niet verliezen.

Hij raakte zo verslaafd aan gin, dat hij niet meer kon vechten als hij niet gedronken had. Maar soms dronk hij zoveel, dat hij zich niet meer kon concentreren op de gevechten. Bij de slag om Zimmi was hij zo dronken dat hij recht in de val van de vijand liep en gevangen werd genomen. Hij werd zo hard gemarteld, dat hij er bijna onder bezweek. Maar hij had mazzel, want zijn jongens kwamen hem redden. Wekenlang lag hij op bed met een gezwollen lichaam. Gelukkig had hij niets gebroken, want dat zou zijn einde zijn geweest.

Toen hij weer fit genoeg was om te gaan vechten, besloot hij geen drugs of drank meer te nemen. Hij wilde een helder hoofd hebben. Hij wilde nooit meer gevangengenomen worden. Maar zodra de geweerschoten over het veld klonken, werd hij ontzettend bang. Voor hem werd een van zijn soldaten in zijn arm geraakt door een kogel. Het bloed spatte op zijn T-shirt. Het begon hem te duizelen. Hij werd misselijk van het bloed om zich heen, en de opwinding die hij normaal gesproken voelde bij het horen van geweer-schoten, was ver te zoeken. Een kogel boorde zich vlak voor hem in de grond. Hij moest zichzelf snel in de hand krijgen, anders zou hij dit gevecht niet overleven, maar het lukte hem niet om in zijn normale doen te komen.

Idrissa ging koortsachtig op zoek naar drugs, maar iedereen ging zo op in het vechten, dat niemand hem iets kon geven. Ten einde raad vuurde hij een schot af, opende de lege kogelhuls en at het kruit op. Hij had het de volwassen soldaten bij ULIMO vaker zien doen, maar hij had geen idee wat het effect zou zijn. Het kruit smaakte naar gedroogde peper die veel te lang in de zon had liggen bakken. Het brandde in zijn mond, in zijn keel en vervolgens in zijn slokdarm. Achter zijn ogen begon het te gloeien en te kloppen. Zijn aders in zijn slapen begonnen hard te pulseren. In zijn hersens ging er een knopje om. Plotseling was hij razend. Zijn hart ging waanzinnig tekeer. Met een harde schreeuw rende hij het slagveld op, de vijand tegemoet. Het kogelkruit werkte nog beter dan drugs, hij vocht beter dan ooit.

Die dag gingen ze met een heleboel gevangenen terug naar het kamp. Een paar volwassen soldaten van het overheids- leger van Sierra Leone, een aantal kleine jongetjes, en twee bloedmooie meiden die de soldaten eten waren komen brengen. Een van de meisjes, Aicha, had een uitdagende uitdrukking in haar ogen. Ze was klein en dun, ze had puntige borsten en een ontzettend mooi gezichtje. Hij wilde haar voor zichzelf hebben, ze was van hem. Hij zou ervoor zorgen dat ze zo ontzettend verliefd op hem zou worden, dat ze hem nooit meer zou willen verlaten.

De eerste paar dagen flirtte hij alleen maar een beetje met haar, maar ze wees hem steeds af. Ze maakte hem knettergek. 's Nachts droomde hij van haar en ze was het eerste waar hij aan dacht als hij 's ochtends wakker werd. 's Avonds kon hij nauwelijks in slaap komen bij de gedachte dat ze vlak bij hem was, maar dat ze niet naast hem in bed lag. Dat hij haar niet aan kon raken. Dat hij haar niet in zijn armen kon houden. Hij zag haar gezicht overal. Hij zorgde ervoor dat niemand Aicha lastigviel en dat ze goed werd verzorgd. Ze kreeg meer op haar bord op- geschept dan ze op kon, en ze kreeg een grote slaapplek, voor haar alleen. Het werkte niet. Ze bleef Idrissa afwijzen.

Totdat hij er genoeg van kreeg. Hij wist zeker dat ze hem ook leuk vond, dat zag hij aan haar ogen. Waarom deed ze zo moeilijk?

Op een koele avond, op een van hun rustdagen, gaf hij zijn jongens het bevel Aicha bij hem in zijn kamer te brengen en buiten de wacht te houden. Aicha droeg alleen een handdoek, de jongens hadden haar tijdens het wassen gestoord en haar zo meegenomen. Het meisje bleef in de deuropening staan. Ze voelde zich duidelijk ongemakkelijk. Hij vroeg haar verder te komen, maar ze weigerde. Hij schonk een glas gin voor haar in, en hief het met een uitnodigend gebaar in de lucht. Aicha verroerde geen vin. Hij werd ongeduldig, maar hij bleef kalm. Op zijn meest lieve toon vroeg hij haar nog een keer om wat dichterbij te komen, maar het meisje deinsde in plaats daarvan achteruit en probeerde zijn kamer uit te rennen.

Zijn jongens brachten haar terug naar binnen. Haar handdoek was afgezakt en een van haar borsten stak net boven het randje uit. Hij had geen zin meer om geduldig te zijn. Hij wilde haar bezitten. Nu. Of ze nou wilde of niet. Hij liep op haar af, en toen ze weer weg probeerde te komen, greep hij haar stevig bij haar haren en trok haar met zich mee de kamer in. Hij gooide haar op bed en dwong haar seks met hem te hebben. Aicha klaagde en krijste, maar op een gegeven moment hield ze op en kon hij zijn gang gaan. Toen hij klaar was, viel hij boven op haar in slaap.

Zijn relatie met Aicha kwam moeilijk op gang. Hij moest haar steeds blijven dwingen, zelfs om hem te zoenen, wat hem helemaal niet beviel. Hij begon drugs door haar eten en drinken te mengen. Het werkte een beetje. Aicha werd wat makkelijker, maar het ging nog steeds niet van harte.

Toen hij haar uiteindelijk *brawn-brawn* gaf, kwam ze los. Ze
begon stevig te drinken, waardoor ze steeds vrolijker werd
en ook aardiger tegen Idrissa ging doen. Na een paar
maanden waren ze onafscheidelijk. Hij kon geen stap meer
zetten, of Aicha was bij hem in de buurt.

Doordat Aicha ook meeging naar de frontlinies, wilde ze
ook leren vechten. Ze wilde leren hoe ze moest schieten en
hoe ze iemand moest doden. Hij leerde haar alles wat hij
wist. Ze bleek ontzettend goed te zijn, beter dan alle
jongens in zijn eenheid. Ze was niet zo makkelijk bang te
krijgen, en ze kon martelen als geen ander. Ze hakte het
liefst armen af bij hun gevangenen, dat was haar specia-
liteit. De jongens gaven haar daarom de bijnaam 'Queen
Cut Hands', Koningin Handenhakster. Zij gaf hem de
bijnaam General Blood Shed. Generaal Bloedvergiet, omdat
hij zijn vijanden het liefst met een mes te lijf ging en daarbij
flink wat bloed vergoot.

Ze waren een gevreesd duo, Aicha en hij. Zij ontvoerde
meisjes die ze zelf trainde, hij gaf leiding aan de hele
eenheid. Sommige meisjes waren veel te bang om te
vechten, maar de meisjes die Aicha 'om' kreeg, waren vaak
veel harder dan de jongens. Ze waren meedogenloos, die
meiden. Het was handig dat er nu meisjes bij de eenheid
waren gekomen, omdat ze konden koken, wassen en dat
soort dingen meer. En daarbij waren de jongens een stuk
makkelijker te hanteren nu ze meisjes hadden met wie ze
ieder moment dat ze vrij waren seks konden hebben.

In het begin had hij vaak medelijden met ze, die meisjes,
want de meesten van hen wilden het niet, de seks. Maar
sommige meiden genoten ervan en wilden het liefst iedere
avond met een ander het nest induiken. Soms, bij

gevechten, namen ze mannen gevangen en probeerden die dan met z'n allen te verkrachten. Als zo'n soldaat dan zijn ding niet omhoog kon krijgen, sneden ze het af, of ze vermoordden hem. Ook Aicha wilde daar graag aan meedoen, maar hij verbood het haar. Hij was jaloers. Maar door dat gedrag raakte hij er ook van overtuigd dat de meiden die niet wilden, gewoon moeilijk deden. Daar kon hij echt geen medelijden meer mee hebben.

Ze vochten meer dan een jaar zij aan zij, Aicha en hij. Hij kreeg steeds meer moeite haar in het gareel te houden, want ze was zo hard, dat zelfs hij soms bang voor haar was. Maar hoe gevaarlijk ze ook was, als ze samen alleen waren was ze vaak zo lief dat hij haar voor geen goud meer wilde missen. Wie Aicha ook maar een grote bek durfde te geven, sneed hij de keel door, dat pikte hij niet. Tijdens gevechten liep ze altijd voorop, en dat werd uiteindelijk haar noodlot. Bij gevechten met de Kamajors liep ze regelrecht in een hinderlaag en werd ze doorzeefd met kogels.

Idrissa raakte buiten zinnen. Hij moordde, moordde en moordde totdat er geen vijand meer overeind stond. Daarna vermoordde hij twee van zijn eigen jongens. Hij was zo kwaad op ze, dat hij ze niet meer wilde zien. Twee zwakke eitjes. Waarom waren zij niet gestorven in plaats van Aicha? Aicha verdiende het niet om te sterven. Ze was veel te goed in het vechten om zomaar in een hinderlaag te lopen. Het was hun schuld, want als zij beter hun mannetje hadden gestaan, had Aicha niet zo dicht bij de vijand hoeven te komen.

Na Aicha's dood ging het bergafwaarts met hem. Hij had geen plezier meer in het vechten. Hij miste haar aan zijn zijde. Omdat hij zijn concentratie verloor, liep hij uiteindelijk zelf in een hinderlaag van de Kamajors. Ze namen hem gevangen en wilden hem vermoorden. Hij was zo moe dat hij niet eens protesteerde. Hij was moe van het vechten. Van het moorden. Van bloed zien en proeven. Hij wilde rust. Rust in zijn hoofd, rust in zijn lichaam. Maar de Kamajors verlosten hem niet zo makkelijk uit zijn lijden. Omdat hij zich niet verzette, wilden ze hem sparen. Ze dwongen hem zich bij hen aan te sluiten. Hij wilde weigeren, zodat ze hem dood zouden schieten en hij herenigd zou worden met Aicha. Een oude man met een grijs baardje weerhield hem daarvan.

'Idrissa, toch? Ik herken je bijna niet jongen', zei de man tegen hem. Hij had in de groep toeschouwers gestaan en stapte nu naar voren. Idrissa had geen idee wie hij was en keek hem dan ook wantrouwend aan. 'Commando's zoon, toch?' vroeg de man.

'Neefje', antwoordde Idrissa droog.

'Nou ook goed, neefje dan', zei de man lachend. 'Maar je bent Commando's jongen, toch?'

Idrissa gaf een kort knikje. Hij herkende de man nog steeds niet. 'Sorry, maar ik ken jou niet. Wat moet je van me?' vroeg hij daarom.

'Luitenant Sourgie', stelde de man zich voor. 'Weet je het dan niet meer? Ik kwam altijd samen met Commando naar de cobo-shop van je moeder, in Monrovia. Ach, het is lang geleden. Misschien herinner je het je niet eens meer.'

Idrissa groef diep in zijn geheugen. Luitenant Sourgie, de naam kwam hem vaag bekend voor. Hij herinnerde het zich niet meer precies, maar hij besloot te doen alsof hij het opeens weer wist. Enthousiast sprong hij op van de grond waar de Kamajors hem gedwongen hadden neer te knielen.

Met zijn handen in de lucht geheven om de Kamajors te laten zien dat hij niets wilde uithalen, liep hij op Sourgie af. 'Tuurlijk herinner ik me jou', blufte hij. 'Sorry dat ik je niet gelijk herkende, maar je bent dan ook een stuk grijzer geworden, hè!' Hij schudde Sourgie's hand en kneep er even hard in om hun hernieuwde kennismaking te bekrachtigen.

Sourgie lachte vriendelijk naar hem. 'Goed je levend en wel terug te zien, jongen', zei hij. 'We hebben ons vaak afgevraagd hoe het met je ging na je overplaatsing naar de Small Boys Unit. We hoorden dat veel jongens uit die eenheid het niet gehaald hebben. We dachten dat jij misschien ook... nou, je weet wel... maar het is goed te zien dat je het allemaal overleefd hebt.'

Idrissa gaf een kort knikje. Hij wilde Sourgie vragen of hij iets over Commando wist, maar hij slikte zijn vraag in. Hij was nog steeds veel te kwaad op zijn oom om wat hij hem geflikt had.

Maar Sourgie had zijn gedachten kennelijk geraden. Enthousiast begon hij Idrissa over zijn oom te vertellen. 'Je oom is ook bij ons', zei hij. 'Andere eenheid, maar je zult hem wel tegenkomen. Hij zal blij zijn je te zien. Maar hij zal niet zo gelukkig zijn om te horen dat je aan de verkeerde kant aan het vechten bent geslagen. Bij de RUF? Hoe kun je dat nou doen, man? De vijand!'

Idrissa keek Sourgie niet-begrijpend aan. De vijand? Waar had hij het over?

Sourgie verzekerde de andere Kamajors ervan dat Idrissa niets meer zou doen, daar durfde hij zijn handen voor in het vuur te steken. Hij vroeg de mannen hem met Idrissa alleen te laten, zodat ze konden praten. De Kamajors protesteerden, maar uiteindelijk gingen ze toch een paar meter verderop staan. Ze hielden Idrissa echter nog steeds onder schot. Sourgie nodigde hem uit om naast hem, op een omgevallen boomstam te komen zitten. Terwijl Idrissa plaatsnam, vroeg Sourgie hem hoe hij bij de RUF betrokken was geraakt.

'Snake...' antwoordde Idrissa onzeker.

'Ah ja, natuurlijk', zei Sourgie spottend. 'Snake, dat was pas met recht een slang. Die zou zijn eigen moeder nog aan de duivel verkocht hebben. Snake vocht een beetje aan onze kant, en heulde aan de andere kant samen met de vijand', legde Sourgie uit.

Idrissa begreep het nog steeds niet.

'Weet je dan niet dat de RUF samenwerkt met Charles Taylor?' vroeg Sourgie hem.

Idrissa schudde zijn hoofd. Hij had veel over Charles Taylor gehoord, maar hij begreep niet zo goed wie de man was, en aan welke kant hij nou stond. Eigenlijk begreep hij niets van die hele rotoorlog. Ook niet wie de Kamajors waren en waar ze voor streden. Hij vocht gewoon. Anderen hadden hem altijd verteld wie de vijand was, dat was alles wat hij hoefde te weten. Hij bestreed de vijand, wie de vijand ook was. Dat had hem nooit geïnteresseerd. De vijand was de vijand, mannen die je dood wilden hebben, meer viel er voor hem eigenlijk niet te weten.

Sourgie keek hem ongeduldig aan. Wil je me vertellen dat je niet meer weet wie Charles Taylor is?' vroeg hij. 'Vroeger, bij de ULIMO, heb ik je dat anders duidelijk uitgelegd.'

Opeens wist Idrissa het weer. Sourgie had hem, toen hij net bij ULIMO was, lesgegeven in hun ideologie. Ze streden tegen de mannen van Charles Taylor, het NPFL, de groepering die zijn vader vermoord had. 'Sourgie, ik weet niet...' zei hij zachtjes. Hij kon zijn gedachten niet op een rijtje krijgen.

'Je weet niet...?' vroeg Sourgie kwaad. 'Je pakt gewoon een geweer op en vecht als een kip zonder kop?'

'Nou, ik...' protesteerde Idrissa.

'Man, weet je wel wat je gedaan hebt!' onderbrak Sourgie hem. 'Weet je wel wat voor duivelse groepering de RUF is?'

Idrissa schudde ontkennend zijn hoofd.

'De RUF vernietigt dit land', siste Sourgie door zijn tanden. 'Ze, of nee, jullie moet ik zeggen, jullie terroriseren burgers, moorden hele dorpen uit, en voor wat? Hebberige rebellen die het land willen plunderen. Jullie vechten om diamanten die je leiders vervolgens aan Charles Taylor geven, zodat die daarmee ons volk in Liberia kan overheersen en onderdrukken!'

'Niet waar!' riep Idrissa geschrokken. 'We vechten voor vrijheid!'

Sourgie raakte door het dolle. 'Vrijheid?' schreeuwde hij. 'Wiens vrijheid? Man, je weet niet waarover je praat.'

Idrissa wilde zich verdedigen, maar hij wist niet wat hij moest zeggen. Met open mond bleef hij Sourgie aankijken. Hij wist niet wat hij ervan moest denken. 'Ik vocht voor vrijheid', antwoordde hij uiteindelijk.

'Idrissa, jongen, ik dacht dat je slimmer was dan dat', zei Sourgie geërgerd. 'De Kamajors vechten voor vrijheid, van de RUF. De RUF vecht om de oorlog in stand te houden, zodat jouw leiders hun zakken kunnen vullen.'

Idrissa wilde het niet geloven, en schudde ontkennend zijn hoofd. 'Ik vocht voor vrijheid', herhaalde hij. En dat was de waarheid. Hij wist dan misschien niet waar de RUF precies voor stond, maar híj vocht voor vrijheid, dat wist hij wel.

'Is vrijheid onschuldige burgers aanvallen, Idrissa? Man, denk nou even na, wat hebben de burgers je misdaan? Ze hebben niet eens een wapen!' Die opmerking maakte Idrissa kwaad. 'Burgers onschuldig? Mooi niet. Burgers zijn ondankbare, verraderlijke etters. Wij vechten hard voor hun vrijheid en zij proberen ons alleen maar tegen te werken. Ze willen ons vaak niet eens te eten geven, ze hebben hun straf verdiend', zei hij opgefokt.

'Ben je nou echt zo dom?' vroeg Sourgie hem op treiterende toon. 'Als die "lastige burgers" je alleen maar tegenwerken, zegt je dat dan niet genoeg? De burgers hebben speciaal de Kamajor-militie opgericht om zich tegen de RUF te kunnen verdedigen. Wij vermoorden geen burgers, we beschermen ze juist. Overal waar we komen, zijn de burgers blij ons te zien. Ze smeken ons dagelijks ze te bevrijden van de RUF, maar dat zul je nog wel zien.'

Idrissa haalde ongeïnteresseerd zijn schouders op. Hij had geen zin meer in de discussie. Hij begreep er te weinig van en bovendien stond zijn kop op exploderen. Hij wilde brawn-brawn of op zijn minst een jointje roken, zodat hij niet meer hoefde na te denken.

Maar Sourgie wilde hem niet met rust laten. Hij bleef maar uitleggen over de oorlog in Liberia, dat hun eigen volk daar hard streed om bevrijd te worden van Charles Taylor. Dat de RUF in het begin inderdaad voor vrijheid had gestreden, omdat Sierra Leone dertig jaar lang onderdrukt was geweest door een wrede dictatuur, maar dat die dictatuur nu allang niet meer bestond. De RUF had volgens Sourgie daarom allang geen echte reden meer om te vechten. De uitleg ging langs hem heen. Hij wist niet eens wat een dictatuur was en hij weigerde het te vragen.

Na een uur razen en tieren gaf Sourgie het eindelijk op. Hoofdschuddend pakte hij Idrissa's wapen af. 'Je hebt een grote fout gemaakt met dat RUF', zei hij. 'Maar ik geef je de kans om je fouten goed te maken. Je gaat voor de Kamajors vechten, onder mijn hoede. Maar zolang je nog in die RUF-fabeltjes gelooft...' zei Sourgie uitdagend, terwijl hij Idrissa's wapen omhoog hield en ermee voor zijn neus zwaaide. '...neem ik je wapens in beslag.' Zijn geweer, zijn mes en zijn pistool verdwenen in een grote zak.

Hij voelde zich naakt zonder zijn wapens. Een grote angst kwam over hem. Hij was in geen jaren meer ongewapend geweest, hij sliep zelfs met zijn pistool in zijn broekband. Zonder wapen rondlopen, betekende dat hij ieder moment kon doodgaan. Hij voelde een grote hysterie in zich opkomen, maar hij deed zijn uiterste best zo kalm mogelijk te blijven. Hoe moeilijker hij deed, hoe langer het zou duren voordat hij zijn wapens terug zou zien, dat had hij wel door. Hij moest het dus zien uit te zingen.

Sourgie gaf hem een harde klap op zijn rug. 'Dus je gaat voor de Kamajors vechten?' Het klonk meer als een bevel dan als een vraag.

Idrissa haalde zijn schouders op. Hij had geen andere keuze. Hij was hun gevangene. Teruggaan naar de RUF ging niet meer, want wie door de Kamajors gevangen was genomen, werd zonder pardon gedood. De RUF vertrouwde dat niet, dat wist hij. En bovendien maakte het hem niet zoveel uit voor wie hij vocht. De Kamajors vond hij maar een lachertje, want hun soldaten waren slecht bewapend en ze wisten totaal niets van vechten. Het was een stel boeren, verkleed in jutezakken, behangen met zogenaamd magische amuletten. Maar toch, met hun simpele jachtgeweren en kapmessen wisten ze het de rebellen toch moeilijk te maken. Met al zijn gevechtservaring moest hij het uiteindelijk ook bij de Kamajors tot een hoge functie weten te schoppen. Misschien wel hoger dan hij bij de RUF had gehad. Hij moest het maar een kans geven.

Hij werd ingedeeld bij de Yamotor-eenheid. Een groep kannibalen die de stad Kenema tegen de rebellen van de RUF beschermde. Zijn werk was ontzettend saai. Hij moest brandhout zoeken, zware dingen sjouwen en wapens schoonmaken. Uit pure verveling begon hij alle kapotte wapens in te zamelen om ze te kunnen repareren. Maar hoewel hij dus meer dan genoeg beschikking had over geweren, hielden ze hem angstvallig uit de buurt van de munitie. De Kamajors vertrouwden hem absoluut niet. Toen hij eindelijk mee mocht op patrouille, begon hij een beetje bewondering voor de Kamajors te krijgen. De burgers onthaalden de Kamajors inderdaad als helden. Ze hoefden niemand te bedreigen om aan geld of voedsel te komen, het werd ze zo gegeven. Hij begon te geloven in wat Sourgie hem verteld had, want hij hoorde dezelfde verhalen van de burgers en de andere Kamajors.

Net toen hij dacht dat hij de Kamajors en de oorlog begreep, werd hij gestationeerd bij een checkpoint, waar hij getuige was van het wangedrag van de Kamajors. Als de kannibalen zin hadden in mensenvlees, beschuldigden ze burgers bij de checkpoints er gewoon van spionerende rebellen te zijn, zodat ze hen konden vermoorden en opeten. Voor Idrissa waren de Kamajors daarom geen haar beter dan de rebellen. Hij verloor zijn motivatie om te vechten. Hij concentreerde zich op het repareren van wapens en in zijn vrije tijd ging hij op zoek naar drugs, want daar was niet zo makkelijk aan te komen bij de Kamajors. De meeste mannen namen een of ander bladermengsel, maar dat had op hem totaal geen uitwerking. Hij wilde échte drugs. Cocaïne of ten minste marihuana. Hij vond het bij de Nigerianen die bij de internationale interventiemacht vochten.

Na een halfjaar vonden de Kamajors het tijd worden dat Idrissa mee ging vechten. Hij stond er niet om te springen. Als hij mee wilde vechten, moest hij door een initiatie-ritueel, waardoor hij magische krachten zou krijgen. Hoe het precies werkte, wist hij niet, maar hij zou iets krijgen waardoor hij onkwetsbaar zou worden voor kogels. Hij geloofde er niet in. Hij zag dagelijks zoveel Kamajors doodgaan bij de gevechten dat het voor hem simpelweg niet waar kon zijn.

Voor de initiatie werden de nieuwe rekruten meegenomen naar de bush waar ze allerlei uithoudingstests moesten doen en verschillende beproevingen moesten doorstaan. Bij sommige groepen was het zelfs normaal dat de rekruten in elkaar geslagen werden, ze werden vergiftigd en er werd op ze geschoten om te checken of de magische bescherming wel echt werkte. Idrissa vertrouwde dat hele initiatiegebeuren niet en hij zag er het nut ook niet van in. Hij had het al die jaren overleefd omdat hij een ontzettend goede krijger was. Daar vertrouwde hij op en niet op een of ander mengsel dat hem zogenaamd tegen kogels zou beschermen.

Hij ging mee naar het slagveld zonder magische bescherming, maar met genoeg drugs in zijn bloed om een paard mee plat te krijgen. Hij was absoluut niet gemotiveerd om voor de Kamajors te vechten, maar de drugs maakten hem gek, dus deed hij mee. Het waren zware gevechten tegen de RUF, maar ze wisten de overhand te krijgen en de rebellen terug in de bush te dringen. 's Avonds bleven ze aan de frontlinie om het gebied onder hun controle te houden.

De volgende ochtend kwam er versterking, zodat ze de rebellen voorgoed uit het gebied konden verjagen. In tegenstelling tot zijn eigen eenheid was de andere groep Kamajors goed georganiseerd en goed bewapend. Ze waren een opvallende en indrukwekkende verschijning. Zijn eigen eenheid droeg rare hoedjes en mutsjes, gemaakt van dezelfde jute als hun hesjes. Veel mannen hadden gescheurde of gerafelde broeken en de meesten van hen liepen op kapotte slippers. De andere eenheid bestond uit stuk voor stuk grote, gespierde jongens en mannen. Hun hoofden waren volledig kaalgeschoren en ze droegen helemaal niets. Geen kleding, geen schoenen, geen ondergoed, helemaal niets. Hun lichamen glommen gevaarlijk in de zon.

Als Idrissa ze op het slagveld was tegengekomen, als vijand, was hij alleen al door hun verschijning bang voor ze geweest. Ze moesten wel ongelofelijk sterk zijn, bedacht hij zich. Hij had direct bewondering voor ze, zonder ze zelfs maar in actie te hebben gezien. Hij wilde zich koste wat het kost bij die groep aansluiten.

'Dat zijn de *Born Naked*', zei een van de jongens uit zijn eigen eenheid tegen hem, toen hij zag dat Idrissa de groep met open mond bekeek. 'Born Naked, naakt geboren, ze vechten altijd naakt. Ze geloven niet in kleding. God heeft ze zo gemaakt, zeggen ze', zei de jongen. 'Ze vertrouwen erop dat God ze beter kan beschermen als ze vechten in het kostuum dat Hij voor ze heeft ontworpen.'

Idrissa luisterde aandachtig.

'Hun commandant is ontzettend goed', vervolgde de jongen. 'Je zult in heel Sierra Leone geen betere vinden. Het is een Liberiaan, geloof ik.'

'Een Liberiaan, hè?' vroeg Idrissa ter bevestiging.

De jongen knikte.

Idrissa kreeg een vervelend voorgevoel. Hij was bang dat hij vandaag met Commando herenigd zou worden. Daar zat hij helemaal niet op te wachten.

'CO Cut Neck', werd er in de verte geroepen. De aankondiging dat de commandant in aantocht was.

Idrissa haalde opgelucht adem. CO Cut Neck, commandant koppensneller. Het was goddank niet zijn oom. Maar hij had het mis, want toen de man het terrein op stapte, bleek het toch Commando te zijn. Idrissa probeerde zich zo klein mogelijk te maken en hij wenste vurig dat ze snel naar het slagveld zouden gaan zodat zijn oom hem niet zou opmerken. Hij keek toe hoe Sourgie op zijn oom toesnelde en hem hartelijk begroette. Sourgie maakte drukke handbewegingen en speurde met zijn ogen de manschappen van de Yamotor af. Idrissa deed snel een stapje achteruit en begon zogenaamd ontzettend geconcentreerd aan de veters van zijn legerkisten te frunniken.

Het had geen zin. Sourgie ontdekte hem toch en liep samen met Commando op hem af. Idrissa voelde zich zo ongemakkelijk dat hij bijna over zijn nek ging van ellende. Zodra Commando hem herkende, begon de man te grijnzen. Zijn oom leek blij hem te zien, maar misschien

was dat wel gewoon zijn eigen verbeelding. Hij bleek het
verkeerd gezien te hebben, want Commando wilde hem
niet eens een hand geven. In plaats daarvan begon hij
Idrissa direct te bespotten.

'Is dat die verraderlijke hond die, na jaren door mij in de
watten te zijn gelegd, opeens liever bij een ander ging
vechten voor een kleine promotie?'

De woorden troffen Idrissa als dolksteken. Hij ontplofte
bijna van woede. Hij wilde zijn oom voor eens en voor altijd
trotseren, maar hij kreeg de kans niet om te reageren.

'De rebellen!' werd er ineens in paniek geroepen. Iedereen
stoof een andere kant uit, op zoek naar hun wapens,
munitie en dekking. De rebellen waren gekomen om hun
kamp te overvallen. Idrissa bleef kalm. Hij zocht dekking
achter een dikke boom en laadde zijn wapens door. Hij ging
nooit ergens heen zonder zijn wapens, hij was dan ook
klaar voor de strijd. Om zichzelf meer moed te geven,
vuurde hij een kogel af en slikte het kogelkruit door.

Zodra de rebellen in zijn schootsveld kwamen, schoot hij er
binnen vijf minuten drie dood. Hij was extra scherp vandaag,
zo goed had hij nooit eerder geschoten. Bij zijn eigen eenheid
vielen er behoorlijk wat doden, maar Commando had zijn
mannen zo goed onder controle dat ze uiteindelijk toch
makkelijk de overhand wisten te krijgen. Commando's
mannen bewogen zich lenig en soepel over het slagveld.
Behendig beslopen ze de vijand en ze verspilden nauwelijks
kogels. Toen Commando bij hem in een hinderlaag
neerhurkte, siste hij tegen Idrissa: 'Indrukwekkend hè, mijn
mannen. Als je niet zo arrogant was geweest, had jij ook een
van hen kunnen zijn.' De man maakte zijn ogen geen seconde
los van het slagveld. Hij maakte Idrissa ontzettend razend.

Tussen het brullen van commando's aan zijn eenheid door, sprak zijn oom hem toe. 'Ik heb het gehoord van Sourgie', zei hij. 'De RUF... je bent een smerige rebel!' De man spuugde vol afkeuring voor hem op de grond. 'Kijk hoe diep je gezonken bent', zei hij honend.

Idrissa beet op zijn tong. Dit was niet de plek en de tijd om een confrontatie met zijn oom aan te gaan. De kogels vlogen hen om de oren. De rebellen waren met versterking gekomen.

Terwijl Commando uit de hinderlaag sloop om zich bij zijn mannen te voegen, keek hij Idrissa diep in zijn ogen. 'Als ik je tegen was gekomen bij de rebellen, had ik niet geaarzeld je dood te knallen', zei hij.

Idrissa hapte naar adem. Hij keek zijn oom na, terwijl de man zich in zijn blote lijf, rennend naar zijn eenheid begaf. Tranen welden op in Idrissa's ogen. Het was tijd om eindelijk met zijn oom af te rekenen. Hij richtte zijn geweer en haalde de trekker over. Eén, twee, drie keer. Commando viel neer. De Kamajors begonnen te krijsen. 'Hij was het', hoorde hij iemand roepen. Toen werd het zwart voor zijn ogen.

Mevrouw Tucker

Het is dinsdagochtend. Beelden van Ysata en meneer
Tucker hebben Jim de hele nacht wakker gehouden. Hij
heeft Ysata nu al twee weken niet gezien. De Tuckers
verbieden het hem om Ysata op schooldagen te komen
opzoeken en telkens als hij op zaterdagen naar hun huis
gaat om schoon te maken, is meneer Tucker met Ysata de
stad in. Jim is een aantal keren tijdens schooltijd naar het
huis van de Tuckers gegaan om Ysata te bespioneren.
Meneer Tucker is nog altijd ziek thuis. Overdag zit hij met
Ysata op de veranda of liggen ze samen in zijn bed. Meneer
Tucker heeft haar een mobiele telefoon gegeven, een dure
met een ingebouwde camera, mp3-speler en radio. Ze zit er
op de veranda constant mee te spelen, en hij weet dat ze
ook beltegoed heeft, want hij heeft haar een paar keer met
haar vriendinnen in Bo horen bellen. Toch kan ze geen
contact met hem opnemen, en hij kan haar ook niet bellen,
want hij weet het nummer niet.
Hij gaat die ochtend extra vroeg naar de kerk, zodat hij het
gebedsaltaar helemaal voor zich alleen heeft. Hij wil zich
goed kunnen concentreren op het bidden, want hij moet
echt met God praten. Hij kan dit aan niemand vertellen, hij
schaamt zich zo al kapot. Maar het vreet hem op

vanbinnen, daarom moet hij het toch echt kwijt. God is de
enige die hij in vertrouwen kan nemen.

De kerk is inderdaad leeg als hij aankomt. Gelukkig zijn de
deuren van de gebedskamer al open. Jim slaat een kruis als
hij de kleine ruimte binnenloopt. Hij geeft een beleefd
knikje naar Jezus en wrijft even over de rechterpols van het
beeld, dat genageld is aan het kruis. 'Ik put kracht uit je,
Jezus', zegt hij zachtjes. 'Jij hebt ook zoveel geleden op deze
aarde, nog meer dan ik, maar je hield het vol. Je doorstond
de pijn, de kwelling, voor ons. Jouw voorbeeld geeft me de
moed. Ik mag niet opgeven.'

Jim knielt voor het altaar neer en steekt een kaars aan. Het
is maar een klein vlammetje, maar toch verspreidt het een
ondraaglijke hitte. Buiten moet het nu bijna veertig graden
zijn, en omdat er in de kleine gebedskamer totaal geen
ventilatie is, en de zon er pal op schijnt, is het binnen nog
warmer. Voordat hij aan zijn gebed begint, veegt hij met
zorg de vloer schoon. De plastic rozen die om het kruis
heen bevestigd zijn, hangen er slap bij door de grote
hoeveelheid stof die zich er op opgehoopt heeft.

Als hij de ruimte heeft schoongemaakt, gaat hij naar de
binnenplaats om zijn hoofd, handen en voeten te wassen.
Als hij weer voor het altaar staat, trekt hij zijn overhemd
netjes recht, en slaat zijn ogen ten hemel. Eerbiedig zegt
hij: 'God, het spijt me dat ik me zo aan U vertoon, met
gaten in mijn kleren...' Hij wijst op zijn overhemd en
frunnikt met zijn vinger in een van de gaten. 'Het is geen
gebrek aan respect, maar zoals ik U al vaker heb verteld,
heb ik geen betere kleren. Ik hoop dat U toch naar me wilt
luisteren. Dank U wel...'

Jim knielt neer voor het altaar, slaat een kruis en bedankt

God voor alle zegeningen in zijn leven. Dan zoekt hij naar
de juiste woorden om God zijn problemen voor te leggen.
'God, zoals U weet, bent U de enige met wie ik kan praten.
Ik vertrouw alleen op U. God..., mijn leven is zo zwaar...
Soms weet ik gewoon niet meer hoe ik het vol moet
houden. Ik weet dat U een plan voor me heeft, maar soms
denk ik dat U denkt dat ik sterker ben dan ik echt ben. Ik
weet dat ik slechte dingen heb gedaan en dat ik daarvoor
moet boeten. Ik heb mensen vermoord, gemarteld,
geslagen...vernederd..., ik weet dat U daarom kwaad op me
bent. Maar echt, het is alleen door Uw woorden, door de
Bijbel, dat ik weet dat het slecht was. Toen ik die dingen
deed, God, had ik niet het voorrecht U te kennen. Mijn
commandanten hebben me opgevoed, ik deed gewoon wat
zij me opdroegen. Echt God, ze hebben het me nooit
verteld. Ik had het niet gedaan als ik het had geweten. Dan
had ik mijn leven geofferd, net als Jezus. Maar God, mensen
zijn slecht. Zij wisten het, dat het slecht was, daarom lieten
ze mij het doen, zodat ze er zelf niet voor gestraft zouden
worden.'
'God, ik wil niet naar de hel', pleit hij. 'Alstublieft... ik leef al
in de hel hier op aarde. Ik zou willen dat U me bij U kon
nemen, zodat ik rust krijg. Ik wil rust in mijn hoofd, naar de
hemel, want mensen...' Hij zwijgt even en pakt een
rozenkrans tussen zijn vingers. '...mensen zijn niet te
vertrouwen, God. Ze blijven me teleurstellen. Nu is het
Ysata...' Er wellen tranen op in zijn ogen, terwijl hij met zijn
vingers nerveus met de rozenkrans speelt. 'God, ik begrijp
niet waarom!' Zijn stem klinkt wanhopig.
'Ik hou van Ysata, ik weet niet waarom ze dit doet. Ik doe zo
mijn best voor haar. Maar weet U, God, Ysata begrijpt het

gewoon niet. Hoe het hoort. Wat goed is en wat niet. Ysata ziet het belang niet in van scholing. Ik werk zó hard, zodat ze iets kan leren, maar het interesseert haar gewoon niet. Ze gelooft nog steeds in het rebellenleventje. Snel scoren, geen moeite doen. Ze is erdoor verpest, God. Toen we vochten... als we iets wilden... vielen we gewoon een wijk of een dorp aan en roofden we alles leeg...' Beschaamd kijkt hij naar de grond. 'Ik bedoel... sorry... ik wil er niet over opscheppen... ik weet dat het slecht was, maar dat is wat we deden.'

De rozenkrans gaat steeds sneller tussen zijn handen heen en weer. 'Ysata wil dat alles nog steeds zo makkelijk gaat. Misschien is het omdat ze niet naar school gaat, maar ze heeft niets geleerd. God, ze verkóópt haar lichaam gewoon aan meneer Tucker, als een goedkope hoer!' Hij schrikt van zijn eigen uitbarsting. 'Sorry, sorry, sorry, God, voor dat woord...sorry!' Hij weet niet of hij nu wel door moet gaan, misschien heeft hij God wel geïrriteerd door te schelden in de kerk.

Voorzichtig gaat hij verder. 'God, ik weet niet wat ik moet doen. Het maakt me kwaad, maar ik weet dat Ysata er niets aan kan doen. Maar meneer Tucker, die vind ik nog de allerergste. In de oorlog had ik zo iemand zonder pardon doodgeschoten. Maar nu..., ik kan niets doen. Ik wíl niks doen, bedoel ik, want anders kom ik in de gevangenis terecht, en ik weet dat U me het nooit zult vergeven. Ik wil geen slechte dingen doen, God, maar iedere man hier in Sierra Leone zou hem flink in elkaar geramd hebben. Op zijn minst. Maar ik wil niet gewelddadig zijn, en bovendien ben ik afhankelijk van meneer Tucker. Ik wil naar school, iets van mijn leven maken. Maar door dat hele gedoe kan ik me nergens meer op concentreren. Ik spijbel constant. Ik weet het niet meer. Ik hoop dat U me kunt helpen om Ysata te veranderen, dat is de enige manier. God, Ysata moet veranderen.'

Het blijft lange tijd stil. Dan zegt Jim: 'U hebt gelijk. Ik moet met haar praten totdat ze het begrijpt.' Jim knikt naar de hemel en vouwt zijn handen samen. 'Ik ben U dankbaar voor Uw liefde, God. Zonder U heb ik niemand. U bent de enige die van me houdt. Ik weet dat ik U teleurgesteld heb, door de oorlog... door wat ik heb gedaan, maar ik zweer U dat ik voor de rest van mijn leven een goede jongen zal zijn. Uw liefde houdt me op het rechte pad. Ik zal U nooit meer teleurstellen. Dank U voor Uw advies, God. Voor al Uw zegeningen, voor alle goede dingen in mijn leven. En voor alle goede dingen die nog zullen komen in mijn leven.'

Jim staat op, slaat een kruis en zegt een dankgebed. Hij geeft een knipoog naar Jezus. 'Je bent machtig, Zoon van God', zegt hij, terwijl hij met zijn hand over het beeld streelt. 'Je bent niet voor niets gestorven, ik zal je laten zien dat er ook goede mensen zijn', belooft hij. Hij gaat op zijn tenen staan en kust het voorhoofd van Jezus. Hij sluit zijn ogen en haalt diep adem. Hij heeft nieuwe kracht gevonden om met de situatie om te kunnen gaan.

Op school krijgt hij de wind van voren van zijn geschiedenis-leraar, omdat hij veel te veel lessen heeft gemist. Volgende week hebben ze een zwaar proefwerk, waar hij echt een voldoende voor moet halen, want voor geschiedenis staat hij er heel erg slecht voor. Eerst weigert de leraar hem nog in de les binnen te laten, maar omdat Jim zijn excuses aanbiedt en nederig op de grond gaat liggen, strijkt de man toch met de hand over het hart.

Een stille jongen, die altijd vooraan in de klas zit, geeft Jim een stapeltje papieren. 'Ik heb mijn aantekeningen voor je overgeschreven', fluistert de jongen. 'Ik hoop dat je een voldoende haalt volgende week.'

Jim is stomverbaasd. Dankbaar neemt hij de stapel papieren aan. 'Ik weet niet wat ik moet zeggen, ik...' stottert hij. 'Dank je wel...'

'Ik vind je aardig', antwoordt de jongen. 'Ik wil graag je vriend zijn.'

Jim begint te gloeien vanbinnen. Dat is hem nog nooit gebeurd, dat een doodgewone jongen van school vrienden met hem wil worden. In zijn klas weet iedereen nu wat hij gedaan heeft, waardoor ze hem al helemaal niet moeten. 'Ik ben ex-kindsoldaat', zegt hij daarom bot. 'Ik heb mensen vermoord.'

'Dus?' vraagt de jongen. Hij kijkt Jim uitdagend aan, maar toch staan zijn ogen vriendelijk. Jims verleden lijkt hem niets te kunnen schelen.

'Dus niets', zegt Jim snel. 'Het spijt me. Vrienden? Ik ben Jim.' Hij steekt zijn hand uit naar de jongen die het gebaar gretig accepteert.

'Ik ben Samuel', antwoordt hij. 'Zullen we na schooltijd samen studeren? Dan kan ik je de aantekeningen uitleggen.'

Jim stemt toe. Hij is blij dat hij een vriend gemaakt heeft. Die middag gaat Jim met Samuel mee naar huis. De volgende dag ook en de dagen daarna ook. Samuel is goed voor hem. Hij geeft hem te eten, geeft hem wat van zijn eigen oude kleren en hij geeft hem ook nog bijles in alle vakken waar hij achterstand in heeft. Na een week vraagt Samuel of Jim bij hem wil komen wonen. Jim aarzelt, want hij kent Samuel net, maar Samuel wil geen nee horen. Hij neemt Jim mee naar zijn vader, om hem voor te stellen en om de man om toestemming te vragen.

Samuels vader blijkt een oude bekende van Jim te zijn. Als ze zijn kantoor binnenlopen, herkent hij de man direct. Pa Turay, een van de sociaal werkers bij het herintegratie-programma dat hij ooit doorliep, na de oorlog. DDR noemden ze het.

Pa Turay herkent hem ook. 'Commander Jim!' roept de man enthousiast.

Een siddering trekt door zijn lijf. Zo wordt hij liever niet genoemd, en zeker niet in het bijzijn van Samuel. Met lood in zijn schoenen loopt hij naar het bureau van Pa Turay om hem de hand te schudden. Het is vanwege Samuel dat hij zich zo ongemakkelijk voelt, want ergens is hij blij de man te zien. Pa Turay is ontzettend goed voor hem geweest in het tehuis. Een van de goeien, hij heeft Jim altijd met respect behandeld. Niet zoals de rest van de staf die de jongens steeds belachelijk maakten. Nou ja, de man had zijn eigen fouten gehad, want hij stal altijd voedsel uit de voorraadkamers, dat hij dan weer doorverkocht. Maar van Pa Turay kon je er in ieder geval van uitgaan, dat hij niks doorlulde. Je kon bij Pa Turay je hart uitstorten, vertellen wat je dwarszat. De andere stafleden waren heel wat minder discreet geweest. Wat je met hen besprak, maakten ze gewoon voor de hele groep belachelijk. 'Pa Turay, dát is lang geleden', zegt hij, terwijl hij zijn hand uitsteekt.

Pa Turay negeert de hand en neemt Jim even in een vriend-schappelijke omhelzing. 'Commander Jim!' zegt hij nog een keer. 'Dat is zeker lang geleden. Ik heb me zo vaak afgevraagd wat er van je geworden zou zijn. Ik ben blij je gezond en wel te zien.'

Jim lacht verlegen. 'Ik ben ook heel blij u te zien, Pa Turay. U bent altijd zo goed voor me geweest, maar u kent me nog als Commander Jim. Ik heet nu gewoon Jim, meneer. Gewoon Jim.'

'Tuurlijk, gewoon Jim', zegt Pa Turay, terwijl hij zijn zoon wenkt bij hen te komen staan. 'Samuel, ik ken deze jongen van het tehuis waar ik werkte in de oorlog. Hij is een van de kindsoldaten die we geprobeerd hebben op weg te helpen.'

Jim kan wel door de grond zakken van schaamte, hij is blij dat hij het Samuel al verteld had. Het lijkt wel alsof dat verdomde verleden hem blijft achtervolgen. Hoe kan hij ooit verder met zijn leven als iedereen hem steeds weer herinnert aan zijn verleden?

'Jim zit bij mij in de klas, pa, we studeren samen. Hij is mijn vriend', zegt Samuel.

'In dezelfde klas?' vraagt Pa Turay verbaasd. 'Ben je nou nog steeds niet van school af, Jim? Je had allang geslaagd kunnen zijn. Het DDR-programma heeft toch je middelbare school betaald?'

'Nee meneer, geen cent meneer', antwoordt Jim. 'Ik heb alles zelf betaald.'

'Oh, wat vervelend', zegt de man. Hij voelt zich zichtbaar ongemakkelijk. 'Maar je hebt je weg naar school toch gevonden. Jij bent toch uiteindelijk bij de Kamajorleider gaan wonen? De man moet wel goed voor je zorgen!'

'Nee, meneer', antwoordt Jim. 'Hij zit al een paar jaar in de gevangenis voor oorlogsmisdaden. Ik moet het al die tijd al in mijn eentje zien te redden.'

'Ach ja, dat is waar ook, dat ze 'm hebben opgesloten', zegt

Pa Turay. Hij wiebelt ongemakkelijk met zijn benen en kijkt zogenaamd geconcentreerd naar de klok. 'Nou, dat is je dan goed gelukt, Jim', zegt hij uiteindelijk. Zijn stem klinkt mat, alsof hij al doorheeft dat Jim gekomen is om zijn hulp te vragen. 'Goed, als jullie me dan nu weer aan het werk willen laten...ik heb het razend druk', zegt hij dan. Hij heeft al geen aandacht meer voor de jongens. Hij begint in de berg paperassen op zijn bureau te zoeken.

'Maar pap', onderbreekt Samuel zijn zoektocht. 'Daarvoor zijn we juist gekomen. Jim gaat wel naar school, maar hoe hij lééft pap, dat kan echt niet. Hij leeft als een slaaf. Hij moet zo hard werken om zijn schoolgeld te kunnen betalen...hij houdt geen tijd over om te studeren.'

'Samuel', zegt Pa Turay op waarschuwende toon. 'We praten er nog wel over. Thuis, onder vier ogen.'

'Nee pap!' Samuels stem klinkt geërgerd. 'Ik wil nú naar Jims huis om zijn spullen op te halen. Er komen belangrijke proefwerken aan. Als hij constant moet werken, haalt hij het nooit. Ik wil hem helpen.'

'Samuel...' zegt Pa Turay nog een keer waarschuwend.

Maar Samuel geeft niet op. 'Als je me niet gelooft, kom dan maar mee naar zijn huis. Dan kun je het met eigen ogen zien.'

Pa Turay schudt langzaam zijn hoofd. Zuchtend antwoordt hij: 'Samuel, ik ben aan het werk. Ik heb geen tijd voor dit soort onzin.'

'Ja, noem het maar onzin', zegt Samuel verontwaardigd.

'Voor jou is het onzin, ja. Jij hebt je baantje. Jim heeft niets. Hij heeft niemand. Ik wil hem helpen.'

Pa Turay kijkt Jim zwijgend aan.

Jim voelt zich ongemakkelijk onder zijn keurende blik en

staart naar de grond. Hij hoort Pa Turay zijn toestemming geven. Jim bedankt de man, al wil hij eigenlijk helemaal niet meer bij Samuel gaan wonen. Maar Samuel is een goede vriend en hij wil hem niet teleurstellen.

Voordat ze het kantoor verlaten, geeft Pa Turay hem nog een waarschuwing. 'Geen geintjes, Commander Jim', zegt hij op dreigende toon.

Jim begrijpt precies waar de man op doelt. Hij noemt hem 'commander' omdat hij denkt dat Jim nog steeds niet veranderd is. Dat hij nog steeds dezelfde wilde is als toen hij in het tehuis zat. Maar toen kwam hij net uit de bush. Nu gaat hij al drie jaar naar school. Hij heeft ontzettend veel geleerd na de oorlog. Dat moet Pa Turay toch ook aan hem kunnen zien? Hij krijgt de kans niet om Pa Turay een antwoord te geven. Samuel trekt hem mee naar buiten.

Thuis pakt hij wat spulletjes bij elkaar. Samuel wacht buiten op hem. Zorgvuldig sorteert hij zijn schoolspullen en wat kleren. Het meeste laat hij achter. Hij zal zijn bazin vertellen dat Samuel een neef is, en dat hij met hem mee naar huis gaat, om voor zijn zieke oom te zorgen. Daar kan zijn bazin geen nee tegen zeggen. Als het niet lukt bij Samuel in huis, kan hij altijd nog terug.

Bij Samuel thuis komt hij tot rust. Hij hoeft nauwelijks huishoudelijke klussen te doen en hij krijgt genoeg te eten. Pa Turay geeft hem bijles en omdat Samuel alle school-boeken heeft, kan hij zich goed voorbereiden op de proefwerkweek. Het enige wat hem dwars blijft zitten, is Ysata. Omdat hij haar toch niet mag zien, en zij zelf ook geen contact met hem zoekt, probeert hij haar te vergeten. Na de proefwerken zal hij naar een oplossing zoeken.

De dag voor het eerste proefwerk stuurt Pa Turay hem naar de stad. Hij mag een schooltas, pennen en schrijfblokken kopen. Onderweg komt hij mevrouw Tucker tegen. Hij wil eigenlijk zo snel mogelijk naar de winkel, zodat hij terug naar huis kan om zich op het proefwerk voor te bereiden, maar mevrouw Tucker houdt hem staande. Haar ogen zijn rood en opgezwollen, alsof ze veel gehuild heeft.

'Heb je nog iets van Ysata gehoord?' vraagt ze hem. 'Waarom was je er zaterdag niet? Waarom horen we niks meer van je?'

Jim heeft geen zin haar antwoord te geven. Hij heeft nog nooit een schooltas gehad, en hij wil deze kans dan ook niet aan zijn neus voorbij laten gaan. 'Mevrouw Tucker, ja sorry, zaterdag kon ik niet omdat ik moest studeren. Ik had u moeten bellen, maar ik had geen geld. Sorry, het spijt me. Ik kom over twee weken weer, na de toetsweken.' Hij loopt snel weg om meer lastige vragen te ontwijken, maar mevrouw Tucker roept hem terug.

'Jim?' Haar stem klinkt bijna smekend, waardoor hij haar niet kan negeren. 'Jim, we moeten praten', roept ze naar hem.

Hij draait zich om en loopt terug naar mevrouw Tucker. 'Sorry tante, ik heb echt geen tijd. Ik moet met spoed iets halen voor mijn bazin', liegt hij.

'Je bazin kan wel even wachten', antwoordt mevrouw Tucker. 'Ik heb je hulp nodig. Nú.'

'Tante, echt, mijn bazin is ernstig ziek', zegt hij. 'Ze heeft heel zware malaria. Als ik niet snel met haar medicijnen kom, gaat ze misschien wel dood.'

Mevrouw Tucker barst in huilen uit. 'Jim, je moet me echt helpen, ik ben ten einde raad', zegt ze snikkend.

Jim zwicht. 'Oké, oké. Wat is er tante? Wat kan ik voor u doen?'

Mevrouw Tucker houdt direct op met huilen. 'Niet hier zo midden op straat', zegt ze, terwijl ze argwanend om zich heen kijkt. 'Ga met me mee naar mijn kantoor, dan leg ik je alles uit.'

Samen lopen ze naar de bank waar mevrouw Tucker werkt. Ze lopen naar boven, naar de zevende verdieping. Met de trap, want het gebouw heeft geen lift. Mevrouw Tuckers kantoor is pikdonker en benauwd. Er is geen elektriciteit, waardoor de ventilator het niet doet en het licht niet aan kan. Toch doet mevrouw Tucker de deur van het kantoor dicht, waardoor de hitte in de ruimte ondraaglijk wordt.

'Heb jij Ysata onlangs nog gesproken?' vraagt ze hem, terwijl ze in het donker op de tast naar haar bureau loopt. Ze steekt een kaars aan en gaat met haar handen in haar schoot gevouwen op de bureaustoel zitten.

Jim blijft staan. 'Ik heb Ysata in geen weken gezien of gesproken', zegt hij kalm. 'U verbiedt me steeds haar te zien of contact met haar op te nemen.'

'Ja, dat weet ik', antwoordt mevrouw Tucker. 'Maar ik dacht... meneer Tucker heeft haar een mobiele telefoon gegeven. Wist je dat? Ik dacht, misschien heeft ze geprobeerd jou te bellen.'

'Nee, dat heeft ze niet', zegt Jim kortaf.

Mevrouw Tucker zucht. 'Goed, oké. Ik vind dat je moet weten wat er aan de hand is, Jim. Ik weet niet hoe ik het je moet zeggen, maar je vriendinnetje is geen goed meisje. Ik heb ze in bed gevonden, samen. Ysata heeft hem verleid. Ik ben zó vreselijk boos op haar.'

Jim zwijgt. Hij is blij dat mevrouw Tucker het weet.

'Dus je weet het al?' vraagt ze hem geschokt. 'Heeft ze het
je verteld?'

'Ik heb ze gezien', antwoordt Jim droog. 'Diverse keren. Het
is al een paar weken gaande.'

'Een paar weken?' Mevrouw Tucker staat kwaad op. 'Een
paar weken? En je hebt me niets verteld? Die duivelse
griet!'

'Het is Ysata's schuld niet', zegt Jim bits.

'Wiens schuld is het dan? Ze heeft hem gewoon verleid. Hij
was ziek thuis met maagklachten. Ze moet hem in zijn
slaap hebben overvallen. Of misschien doet ze wel iets door
zijn eten! Vandaar dat hij zo opeens maagklachten heeft.'

Mevrouw Tucker ijsbeert kwaad door het kantoor.

'Het is Ysata's schuld niet', herhaalt Jim. 'Meneer Tucker is
gewoon zo. Hij valt op jonge meisjes.'

Mevrouw Tucker snelt op hem af en geeft hem een klap in
zijn gezicht.

'Tante, het spijt me', zegt Jim tegen haar. 'Maar het is de
waarheid. Iedere zaterdagavond als ik met meneer Tucker
ga stappen, versiert hij jonge meiden. Hij koopt ze. Hij geeft
ze geld, of kleren, of een telefoon, zodat ze met hem naar
bed gaan. Die meiden zijn arm, net als Ysata. Ze denken dat
hij ze uit de armoede kan halen.'

'Ik geloof je niet', roept mevrouw Tucker kwaad.

Jim haalt zijn schouders op. 'U kunt het gewoon bij de club
navragen. Of bij zijn vrienden. Iedereen weet ervan.'

Mevrouw Tucker grijpt naar haar hoofd en wankelt naar de
bureaustoel. Dan barst ze in huilen uit. Haast
onverstaanbaar snikt ze: 'Ik heb altijd wel zo'n vermoeden
gehad. Het is waar wat je zegt, ik weet het.'

Jim blijft bewegingloos staan. Hij zou mevrouw Tucker

willen troosten, maar iets in haar lichaamshouding weer-
houdt hem ervan.

Mevrouw Tucker huilt onbedaarlijk. Dan stopt ze plots met
huilen en smijt kwaad alles wat op haar bureau ligt op de
grond. 'Ik wil hem vermoorden!' schreeuwt ze. Ze is
hysterisch, maar toch klinkt haar stem vastberaden. Als Jim
niet reageert, herhaalt ze het nog een keer. 'Ik wil hem
vermoorden.'

Jim kijkt haar vragend aan. Hij weet dat ze kwaad is,
misschien zegt ze het gewoon om haar woede kwijt te
raken.

'Ik vermóórd hem', tiert mevrouw Tucker. 'Vanavond nog.'
Ze haalt twee euro uit haar portemonnee en geeft het aan
Jim. 'Ga rattengif voor me kopen, Jim. De beste kwaliteit die
je kunt vinden. Dat is een heel toepasselijke dood voor hem,
als een rat!'

'Dat meent u niet!' roept Jim geschrokken.

'Ik meent het! Hij moet dóód', gilt mevrouw Tucker
overspannen.

'Tante, alstublieft, rustig. Het komt wel goed', probeert hij
haar te troosten.

'Ik heb pas rust als hij dood is! Hij heeft me vernederd!'
Mevrouw Tucker is nog steeds hysterisch. Ze trekt de
zware, goudkleurige fotolijst met haar trouwfoto van de
muur en smijt hem door het kantoor. De glasscherven
spatten alle kanten uit als de lijst de grote dossierkast raakt.
Mevrouw Tucker stuift eropaf en trekt de foto tussen de
glasscherven vandaan. Met grote razernij scheurt ze het
hoofd van meneer Tucker in kleine stukjes. Haar vingers
zitten onder het bloed, ze heeft zich opengehaald aan de
glasscherven.

Jim krijgt tranen in zijn ogen. Hij vindt het verschrikkelijk mevrouw Tucker zo te zien. Hij loopt naar haar toe en leunt met zijn volle gewicht op haar schouders zodat ze niet op kan staan. Als ze weer begint te huilen, slaat hij zijn armen om haar heen en schudt haar troostend heen en weer.

'Tante, u moet sterk zijn. Alles komt goed. Echt, ik beloof het', zegt hij zachtjes.

'Jim, ik wil hem dood hebben. Je moet me helpen. Ik smeek je. Help me, alsjeblieft.' Mevrouw Tuckers schouders schokken van het huilen.

'Nee, tante. Dat kan ik niet', antwoordt hij.

Mevrouw Tucker wurmt zich los uit zijn greep. 'Doe niet zo hypocriet, jij. Moorden stelt voor jou helemaal niets voor. Hoeveel mensen heb je al vermoord? Tien? Honderd? Duizend? Onschuldige burgers. En die hadden je niet eens iets misdaan. Die klootzak heeft je vriendin afgepakt, hij heeft míj vernederd. En jij doet niets? Je bent een grote lafaard!' bijt ze hem toe.

Jim hapt naar adem. Die opmerking maakt hem zo kwaad dat het even zwart wordt voor zijn ogen. Kalmeer, kalmeer, kalmeer, spreekt hij zichzelf toe. Ze is gewoon kwaad, ze moet zich afreageren. Dat is alles. Zijn woede zakt langzaam, maar tegelijkertijd komt er een angst over hem heen. Afrikaanse vrouwen zijn temperamentvol. Het komt vaker voor dat vrouwen hun echtgenoot vermoorden. Hij is bang dat ze het misschien wel meent. Hij moet haar tegen zien te houden. Er zijn andere manieren om dit op te lossen, daar moet hij haar van zien te overtuigen. 'Waarom kunt u niet gewoon scheiden?' vraagt hij haar. 'Scheiden is veel beter.'

'Scheiden is beter? Voor wie?' snauwt mevrouw Tucker. 'Als

we scheiden, ben ik zijn inkomen kwijt. Mijn huis, mijn auto, alles. Als hij doodgaat, erf ik alles. Hij moet gewoon dood!'

'Maar tante', werpt Jim tegen. 'U hebt zelf een baan. U kunt toch gewoon voor uzelf zorgen?'

'Denk je dat ik met mijn salaris ooit zo'n mooi huis zal kunnen kopen?' vraagt ze kwaad.

Jim vindt mevrouw Tucker volkomen onredelijk, maar hij besluit niet te reageren.

Een tijdje blijft het stil. Ze is opgehouden met huilen en staart wezenloos voor zich uit. Volgens de klok aan de muur heeft hij nog maar een halfuur om zijn schoolspullen te kopen. Hij wil weg, maar hij durft mevrouw Tucker niet alleen te laten. Hij moet zorgen dat ze kalmeert, zodat ze geen rare dingen doet.

Uiteindelijk verbreekt mevrouw Tucker de stilte. 'Ik ben toch altijd goed voor je geweest, Jim?' vraagt ze hem. 'Het is door mij dat je naar school kan. Dat weet je toch, hè? Ik ben altijd goed voor je geweest. Waarom ben je dan zo ondankbaar?'

'Huh?' vraagt hij verbaasd. 'Ondankbaar?'

'Ja, ondankbaar', antwoordt ze. 'Ik vraag je om één simpel dingetje en jij weigert. Eén simpel dingetje!'

'Wat dan?' vraagt hij. Hij begrijpt niet waar ze het over heeft.

'Gewoon een beetje rattengif kopen. Ik vraag toch niet of je het hem wil toedienen?'

'Maar het is moord, daar kan ik niet aan meewerken, tante.'

'Hoor hem! De vermoorde onschuld. Je bent een killer, een moordenaar, doe nou niet alsof je een heilig lam bent!'

Jim wil eigenlijk niet reageren, maar ze maakt hem kwaad.

'Dat was in de oorlog. Oórlog. Dat is voorbij, die tijd. Ik wist

niet wat ik deed. Ze stopten me vol met drugs. Ik wist toen
niet beter.'

Mevrouw Tucker schudt alleen maar afkeurend haar hoofd.
'Tante...' zegt Jim aarzelend. 'Waarom kunt u Ysata niet
gewoon het huis uitzetten. Ik bel morgenochtend naar het
kantoor van meneer Tucker. Ik vertel ze dat hij niet echt ziek
is, dan roepen ze hem vast op het matje. Zodra hij naar
kantoor vertrekt, trapt u Ysata er gewoon uit. Dan zal ze wel
contact met mij opnemen en zorg ik voor de rest. Dan gaat u
met meneer Tuckers broer praten, zoals de traditie het
voorschrijft. Zijn broer kan ervoor zorgen dat meneer Tucker
niet meer uitgaat. Dat kunt u toch wel een tijdje aanzien?'

Mevrouw Tucker knikt flauwtjes. 'Nou, ik zal wel moeten',
antwoordt ze.

Als ze eindelijk voldoende gekalmeerd is om naar huis te
gaan, is het al bijna halfacht. De winkels zijn allang
gesloten. Zijn schoolspullen kan hij dus wel vergeten.
Teleurgesteld gaat hij naar huis. Hij heeft nog een paar
uurtjes om zich op het proefwerk voor te bereiden.

Als hij de volgende dag bij de schoolpoort aankomt, staat
een van zijn vrienden hem ongeduldig op te wachten.
Zonder Jim te begroeten, zegt hij geïrriteerd: 'Waar hang jij
tegenwoordig uit man? Ik loop je al de hele ochtend te
zoeken. Ysata belt me helemaal gek. Ze is in gevaar, zegt ze.
Je moet meteen naar haar toe!'

'Ook hallo, Mohamed', zegt hij gemaakt opgewekt. 'Sorry
dat Ysata je zo lastigvalt. Ik zal haar direct na mijn
proefwerk bellen, als je me haar nummer geeft.'

'Nee, niet na je proefwerk, bel haar nu!' probeert Mohamed
hem te dwingen.

'Ik zei ná mijn proefwerk. Heb je haar nummer voor me?'
Voordat Mohamed nog een keer kan protesteren, gaat zijn
telefoon. Het is Ysata. Mohamed laat Jim zelf de telefoon
opnemen.
'Ysata?' vraag hij door de telefoon.
'Jim? Jim!' gilt Ysata. 'Jim, je moet me komen halen, nu! Ik
ben het huis uit getrapt, ik zwerf al de hele ochtend over
straat. Ik...'
Jim onderbreekt haar. 'Ysata, ik heb nu een proefwerk, over
twee uur kom ik je halen.'
'Nee nu, Jim. Ik ben in gevaar', galmt het door de hoorn.
Jim wil ophangen, maar dan hoort hij Ysata nog iets
roepen. 'Wát zei je?' vraagt hij.
'Ze hebben me verkrácht, zeg ik.' Ysata's stem breekt. 'Jim,
ze zitten achter me aan.'
'Waar ben je?' vraagt hij geschrokken. 'Ik kom er meteen
aan.'
Ergens twijfelt hij aan Ysata's woorden. Hij heeft het gevoel
dat ze liegt. Maar wat als ze de waarheid spreekt? Hij kan
het risico niet nemen. Maar hij heeft geen geld, en het
proefwerk... Hij denkt razendsnel na. Op de grond ligt een
lege colafles. Hij pakt ze op, breekt de hals tegen het hek en
snijdt er een diepe wond mee in zijn rechterhand. Hevig
bloedend rent hij het schoolterrein op, op zoek naar
Samuel.
Als hij Samuel ziet begint hij te roepen: 'Samuel, Samuel, ik
heb een ongeluk gehad!'
Samuel loopt snel naar hem toe. 'Wat... wat is er gebeurd?'
vraagt hij geschrokken.
'Mijn rechterhand, het examen, zo kan ik nooit schrijven!'
zegt hij dramatisch.

Samuel roept de leraar erbij. Die schrikt van de diepe wond en raadt Jim aan direct naar het ziekenhuis te gaan. Samuel geeft hem geld mee om de behandeling te kunnen betalen. Buiten de schoolpoorten bindt Jim de wond af met de stropdas van zijn schooluniform en gaat op weg naar Ysata. Hij vindt haar op het terras van een aftands restaurantje. Haar tas staat naast haar op de grond. Hij observeert haar van een afstandje. Ze ziet er verveeld uit en geïrriteerd. Helemaal niet als iemand die net iets vreselijks heeft meegemaakt. Met tegenzin loopt hij naar haar tafeltje. Hij is haar gedrag en haar leugens zat, en dat zal hij haar vertellen ook.

Zodra ze Jim in de gaten krijgt, verandert haar houding. Van het ene op het andere moment ziet ze er ineens verwilderd en angstig uit. 'Jimmy... Jimmy, ik ben zo blij je te zien! Ik was zo bang. Ze hebben me verkracht, Jimmy.' Ysata vliegt hem om zijn nek.

Jim duwt haar geërgerd van zich af.

'Jimmy, wat...?' vraagt ze ongelovig.

'Ysata, als je me gebeld hebt om me leugens te vertellen, dan draai ik zo weer om', antwoordt hij kortaf.

'Wát? Ik lieg niet Jim, ik...'

'Ysata, ik geef je nog één kans om me de waarheid te vertellen.'

'Nou goed, als je het dan zo nodig moet weten', zegt ze kwaad. 'Het is meneer Tucker... ik ben het huis uitgevlucht. Hij heeft me verkracht, Jim. De schoft heeft me verkracht. Zijn wijf stond er gewoon bij te kijken. Ik ben het huis uitgevlucht zodra ik kon Jim, ze hielden me gevangen. Ze wilden me houden als seksslavin. En jij bent ook waardeloos dat je me daar gewoon liet creperen!'

Jim is teleurgesteld in Ysata. Ze komt met de meest waanzinnige leugens op de proppen. Hij wil flink tegen haar uitvallen, maar dan herinnert hij zich het gesprek dat hij met God over Ysata heeft gehad. Hij moet geduld met haar hebben, ze weet niet beter, dat heeft hij met God afgesproken. Hij laat haar daarom uitrazen. Hij luistert maar met een half oor naar haar leugens. Als ze eindelijk haar mond houdt, troost hij haar en stelt voor haar vandaag nog naar Bo terug te sturen. Ze stemt in.

Het geld dat hij van Samuel heeft gekregen is net genoeg voor een buskaartje. Vijf euro. Maar als hij het terras wil aflopen, blijkt dat Ysata een dure ochtend heeft gehad. De serveerster overhandigt hem een rekening van vier euro. Een klein kapitaal. Ysata heeft behoorlijk wat sterke drank zitten hijsen, maar op de rekening staan ook twee maaltijden. Ysata verklaart dat ze zich eenzaam voelde en daarom een zwerver getrakteerd heeft, zodat ze niet de hele tijd in haar eentje hoefde te wachten.

Jim kan bijna niet geloven dat Ysata dat echt gedaan heeft. Dat ze echt zo onverantwoordelijk is. Nu kan hij geen buskaartje voor haar kopen. En waar moet ze dan in godsnaam naartoe? De serveerster van het restaurant heeft medelijden met Ysata. Ze biedt aan het meisje zo lang bij zich in huis te nemen, maar dan moet Ysata wel werken. Ysata protesteert, maar Jim laat haar geen andere keuze.

Op weg naar huis probeert hij manieren te bedenken om aan geld te komen. Even haat hij Ysata. Het is toetsweek, hij kan deze stress er echt niet bij hebben. Hij moet aan het eind van de week geld aan de serveerster geven voor Ysata's kosten. Het geld voor de schoolspullen heeft hij al uitgegeven aan het openbaar vervoer en toiletspulletjes voor Ysata. Als hij iedere dag extra moet werken om Ysata's buskaartje bij elkaar te verdienen, kan hij er wel zeker van zijn dat hij allemaal onvoldoendes haalt. Hij wil ook geen geld aan Samuel vragen, hij zal al een goede uitleg moeten bedenken over de wond en waarom hij niet naar het ziekenhuis is gegaan. En dan die schooltas nog. Hij zit flink in de nesten.

Hij loopt een apotheek binnen en koopt een grote rol verband die hij om zijn hand bindt, zodat het lijkt alsof hij een medische behandeling gehad heeft. Vervolgens gaat hij naar een belwinkeltje en belt mevrouw Tucker. Voor haar is het geld voor een buskaartje bijna niets en bovendien is het ook in haar belang dat Ysata terug naar Bo gaat. Hij is ervan overtuigd dat mevrouw Tucker hem zal helpen. Maar als hij mevrouw Tucker aan de lijn heeft, schreeuwt de vrouw tegen hem dat ze nooit meer iets met hem te maken wil hebben. 'Die rotmeid heeft gewoon alle kleren die ik haar geleend heb meegenomen!' schreeuwt ze kwaad door de telefoon. 'Die kan ze verkopen als ze naar huis wil. Ik wil nooit meer iets met jullie te maken hebben. Met geen van jullie twee. Jullie zijn een stel ordinaire dieven.'

Jim krijgt de kans niet om te reageren, mevrouw Tucker heeft al opgehangen. Hij weet nu al dat Ysata de kleren nooit zal verkopen. Hij zal dus een andere oplossing moeten zoeken. Om lastige vragen te ontwijken over de school-spullen die hij eigenlijk had moeten kopen, maakt Jim de volgende ochtend de hele bovenverdieping schoon. Pa Turay zal zo blij zijn dat hij voor even zal vergeten naar de school-spullen te vragen. Het kantoor van Pa Turay is het aller-smerigst en Jim neemt dan ook de tijd om de hele ruimte goed uit te soppen. Achter een van de kasten vindt hij een oud horloge, volledig onder het stof en spinrag. Als hij het horloge heeft schoongemaakt, ziet hij dat het ding nog steeds werkt. Het moet een vermogen waard zijn. Hij wil het gelijk aan Samuel laten zien, maar onderweg naar beneden bedenkt hij zich.

Pa Turay weet niet eens meer dat hij het horloge heeft, het moet echt al heel lang achter de kast hebben gelegen. Jim laat het horloge in zijn zak glijden. Hij zal het verpanden. Zo heeft hij wat langer de tijd om geld bij elkaar te schrapen. Het is dé oplossing. Zo heeft hij genoeg geld om alles te kunnen betalen, en zodra hij genoeg heeft verdiend, koopt hij het horloge weer terug. Ysata kan dan naar huis en hij kan zich op zijn proefwerken concentreren. Opgelost, denkt hij zelfvoldaan. Op naar de pandjesbaas!

Bij de eerste pandshop heeft hij direct beet. Het ding is inderdaad een kapitaal waard. De pandjesbaas kan hem honderd euro lenen als hij het horloge als onderpand achterlaat. Terwijl hij het horloge nog eens aarzelend door zijn handen laat glijden, hoort hij achter zich iemand bewonderend door zijn tanden fluiten.

'Als dat het horloge van Pa Turay niet is!' zegt de jongen. Jim draait zich met een ruk om. Het gezicht van de jongen komt hem bekend voor, maar hij herinnert zich niet van waar. 'Jim? Commander Jim?' vraagt de jongen enthousiast. 'Ja, verrek, jij bent het..., goed je te zien man! Dat is lang geleden... Zeker zes jaar denk ik.'

Jim herkent de jongen nog steeds niet. 'Hoe ken je Pa Turay?' vraagt hij daarom wantrouwend. 'Hoe weet je dat dit zijn horloge is?'

'Omdat hij me met dat horloge een keer bijna knock-out heeft geslagen. Bij DDR. Man, weet je het dan niet meer?'
Jim graaft in zijn geheugen. 'Idrissa?' vraagt hij, zodra hij zich het incident herinnert.
'Yep', antwoordt Idrissa. 'In levenden lijve!'
Jim valt Idrissa enthousiast in de armen. Ze zaten ooit samen in het reïntegratieprogramma. Maar nadat Idrissa het tehuis had verlaten, zijn ze elkaar uit het oog verloren.
'Jezus, Idrissa', zegt Jim, terwijl hij Idrissa een paar keer gebroederlijk op zijn rug slaat. 'Dat is zeker lang geleden. Ik herkende je niet eens meer, je bent oud geworden!'
Ze lachen allebei.
'Wat doe jij hier?' vraagt Jim tenslotte.
'Oh, gewoon. Op zoek naar handel', antwoordt Idrissa.
'Ik bedoel niet hier, in deze shop', zegt Jim lachend. 'Ik bedoel in Freetown. Ik dacht dat je weer naar Kenema verhuisd was, omdat ik je nooit meer zag! Of ben je voor school in Freetown? Of ga je naar de universiteit? Heb je een baan hier?'
Idrissa trekt een moeilijk gezicht en geeft niet direct antwoord. 'Eh... ik werk, maar dat vertel ik je nog wel een keertje. Ik heb eigenlijk ongelofelijke haast. Hoe kan ik je contacteren, dan praten we een ander keertje verder.'
Als Jim zijn adres heeft gegeven, gaat Idrissa er direct vandoor. Jim twijfelt nog even, maar geeft het horloge dan toch in onderpand. Hij zal Ysata vandaag nog op de bus naar Bo zetten.

DDR

De ontmoeting met Jim bij de pandjesshop in Siaka Stevens
Street zit Idrissa bijna een week dwars. Jims vragen, over
wat hij tegenwoordig doet, blijven na-echoën in zijn hoofd.
Jim had een uniform van Albert Academy gedragen, een van
de meest gerespecteerde middelbare scholen in Freetown.
Jim is een stuk jonger dan hij, zeker vijf jaar, dus is het
logisch dat hij nog naar de middelbare school gaat. Dat Jim
bij Pa Turay in huis zit, zegt Idrissa genoeg. Jims bedje is
gespreid. Hij kan direct na de eindexamens doorstromen
naar de universiteit.
Hij had zelf gelogen over dat hij werk had, maar hij wilde
niet dat Jim wist dat hij een grote mislukkeling was. Jim
had hem vast uitgelachen, dat weet hij zeker. In het tehuis
had iedereen naar hem opgekeken, Jim zal vast niet
verwachten dat het zo slecht met hem gaat. Hij
verfrommelt het papiertje met Jims adres en gooit het naar
de kleine, plastic prullenbak in de hoek van zijn kamer. Hij
zal Jim nooit gaan opzoeken, al is het jammer want hij had
altijd een goeie band met Jim in het tehuis. Ze hebben
samen veel meegemaakt.
Idrissa kan zich de dag nog goed herinneren dat hij in het
tehuis werd geplaatst. De oorlog was bijna ten einde, de

gevechten werden met de dag minder toen. Via de radio hoorde hij dat er rehabilitatieprogramma's waren voor kindsoldaten. Hij had zich in twee verschillende steden proberen aan te melden, maar hij werd steeds geweigerd omdat hij zijn wapen niet wilde inruilen. Als je je wapen inleverde, kreeg je tachtig euro en een emmer met wat noodzakelijke dingen zoals zeep en zo, maar hij was te bang geweest om zijn wapen in te leveren. Hij wilde zich op zijn minst kunnen verdedigen, want van het vechten zelf was hij intussen moe geweest.

Een oude dominee had hem uiteindelijk geholpen. De man had hem meegenomen naar Freetown, naar een Kamajorbasis waar een heleboel andere kindsoldaten zaten die het vechten moe waren. In het begin was het de hel op aarde geweest, een heel stel gewapende jongens die zich verveelden. Het was één grote puinbak. Maar ook daar bleek hij de gevaarlijkste van hun allemaal te zijn. En nadat hij zich eenmaal had bewezen, hadden ze hem met rust gelaten. Ze hadden hem gevraagd zijn wapen in te leveren, maar er kwamen dagelijks nieuwe jongens bij die allemaal hun wapen nog droegen. Hij was niet van plan geweest om in zo'n omgeving ongewapend rond te lopen.

De Kamajorbasis werd langzaam omgevormd tot tehuis, maar in feite veranderde er weinig. Hun commandanten maakten plaats voor ongewapende pastoors en dominees, maar het bleef een zootje ongeregeld. Toen de tehuisleiding er uiteindelijk niet meer voor had kunnen zorgen dat er voldoende rantsoen binnenkwam, had hij goed gebruik- gemaakt van zijn wapen. Met een groep gewapende jongens waren ze de omliggende woonwijk ingegaan en hadden ze hele buurt leeggeroofd. Ze roofden eten, radio's, kleren en zelfs een tv. Niet dat ze daar iets aan hadden, want er was geen elektriciteit, maar dat gebeurde altijd tijdens plundertochten. Ze namen dingen mee die ze niet eens konden gebruiken. Gewoon omdat het plunderen zo'n kick gaf. Die plundertocht had nog heel wat problemen gegeven, want 's nachts hadden de buurtbewoners wraak willen nemen door brandbommen het terrein op te gooien.

Na dat incident was de Kamajorleiding naar het tehuis gekomen en had hen gedwongen hun wapens af te staan. Ze namen hem een AK-47, een kalasjnikov en een handpistool af. Hij had drie keer tachtig euro geëist, zoals ze hem ook in het ontwapeningsprogramma hadden geboden. Maar daar kon hij in het tehuis mooi naar fluiten. Omdat hij razend was geworden en het vuur had geopend op de hoge omes die zijn wapens wilden afpakken, had de Kamajorleider met hem gepraat. De man had hem beloofd dat het tehuis vanaf die dag goed voor hem zou zorgen, en dat als de gevechten eenmaal afgelopen zouden zijn, het tehuis hem terug naar school zou sturen. Dat had hem overgehaald, want hij wilde graag naar school.

Als Kamajor was hij meer dan een jaar onder de burgers gestationeerd geweest. Hij had in loopgraven gelegen om hen te beschermen en voor de kinderen een veilige route naar school te maken. Kleine kinderen, jongens van zijn leeftijd. Hij had graag bij hen willen horen, maar hij was soldaat. Burgers waren zelfs een beetje bang voor hem geweest. Behalve de meisjes, die zwermden altijd bij bosjes om hem heen. Hij kon elk meisje krijgen dat hij maar wilde. Als soldaat had hij status, eten, rijkdom, daar vielen de meisjes voor. In oorlogstijd was er niets verkrijgbaar, en meisjes die met een soldaat gingen, hadden in ieder geval genoeg te eten.

In het tehuis was dat wel anders, want daar stond hij zelf op rantsoen, en had hij ze dus niets te bieden. Het leven in het tehuis was eenzaam en hard geweest, tot de dag dat ze Jim naar het tehuis brachten.

Hij was een wilde, Jim. Het lukte de staf maar niet hem zijn wapens af te nemen. Die eerste dag in het tehuis schoot Jim een pater in zijn voet en beet hij een stuk oor af bij een andere kindsoldaat. De Kamajorleider zelf moest er uiteindelijk aan te pas komen om Jim te ontwapenen. Idrissa stond buiten toe te kijken hoe de Kamajorleider probeerde Jims vertrouwen te winnen. De Kamajorleider nam Jim in zijn armen, hield hem stevig vast en gaf de jongen een kus op zijn voorhoofd. Jim kon niet ouder zijn dan twaalf, dertien, maar hij was een goede krijger, dat kon Idrissa zo zien. Als hij nog bij de Small Boys Unit had gezeten, dan had hij Jim graag in zijn eenheid gehad.

Idrissa hoorde de Kamajorleider Jim beloven dat hij binnenkort naar school mocht, maar dat maakte weinig indruk op Jim. 'School is voor bange burgerjongens, ik ben een groot krijger!' zei Jim tegen de Kamajorleider. Idrissa kon de jongen nauwelijks verstaan. Jim sprak Mende, een van de lokale dialecten, een taal die Idrissa niet goed kende. En bovendien klonken Jims zinnen als één lange brij, alsof hij niet goed kon praten. Maar de jongen stond stijf van de drugs, misschien lag het daar aan.

De Kamajorleider probeerde Jim ervan te overtuigen dat school heel belangrijk was en dat nu de oorlog afgelopen was alle andere jonge krijgers ook naar school zouden gaan. Maar Jim begreep niet eens goed wat school was, waarschijnlijk was hij nooit naar school geweest. Idrissa liep naar binnen en probeerde de Kamajorleider ervan te overtuigen Jim aan hem over te laten. De Kamajorleider negeerde hem en concentreerde zich op Jim. Het lukte de man uiteindelijk Jim te kalmeren, maar de houding van de jongen bleef vijandig.

Toen hij tijdens schafttijd bij de groep werd gezet om te eten, raakte hij binnen vijf minuten al in gevecht met een andere jongen. Jim pikte niets. Hij wilde niet dat de andere jongens met hem praatten of zelfs maar naar hem keken. Hij liet zich niets verbieden of opleggen door de staf, waardoor hij constant problemen veroorzaakte. Maar de staf ging ook helemaal verkeerd met hem om, vond Idrissa. Ze noemden Jim 'jochie' en probeerden hem steeds te kleineren. Idrissa wist dat dat nooit zou werken. Jim zou er alleen maar brutaler van worden.

Dat soort dingen had hij in zijn eigen eenheid zo vaak meegemaakt. Jongens als Jim, die dachten dat ze commandant waren, pikten dat soort autoriteit nou eenmaal niet. Als je ze aansprak met hun titel, en ze verantwoordelijkheden gaf, dan voelden ze zich gerespecteerd en werkten ze gewoon mee. Maar de burgers van het DDR-programma begrepen de legerdiscipline en -hiërarchie gewoon niet. Daarom wisten ze niet hoe ze met Jim moesten omgaan. Idrissa besloot met de staf te gaan praten over Jim, maar niemand wilde naar hem luisteren. Ze wisten precies hoe ze 'ettertjes' als Jim moesten aanpakken, zeiden ze tegen hem. Een van de paters werd zelfs kwaad op hem en noemde hem een wijsneus.

Weken gingen voorbij en er veranderde helemaal niets.

Het gedrag van Jim werd alleen maar erger. Pa Turay, een van de sociaal werkers, probeerde Jim over te plaatsen naar een ander tehuis, maar dat liep op niets uit. Idrissa besloot het nog een keer te proberen en ging met Pa Turay praten. Pa Turay gaf toe, maar hij wilde Jim geen echte verantwoordelijkheden geven. Idrissa bedacht een plan: als ze Jim nou eens andere kindsoldaten van de straat lieten plukken. Hij had in Freetown gevochten en ze noemden hem niet voor niets 'commander'. Hij wist vast een manier om zijn eigen jongens naar het tehuis te krijgen. Pa Turay aarzelde, want hij wilde Jim eigenlijk niet op straat laten, maar toen Idrissa beloofde dat hij er zelf voor zou zorgen dat Jim geen rare dingen deed, ging Pa Turay overstag.

Jim benaderen was niet zo makkelijk. De jongen sprak alleen maar het Mendedialect, waar Idrissa niet goed in was, en bovendien sprak hij zó onsamenhangend, dat het volkomen onbegrijpelijk was voor Idrissa. Met veel handen- en voetenwerk lukte het hem uiteindelijk toch met Jim te communiceren. Maar pas na een paar dagen wist hij Jim duidelijk te maken wat hij van hem wilde. Idrissa zorgde ervoor dat hij in bijna iedere zin het woord 'commander' liet vallen om Jims vertrouwen te winnen.

Het werkte. Jim werd steeds minder vijandig en verstond steeds meer Krio, de nationale taal van Sierra Leone. Idrissa wist duidelijk te maken wie hij zelf was, General Blood Shed, en daarmee won hij gelijk Jims respect. Jim bleek ook bij de Small Boys Unit gevochten te hebben, bij een andere eenheid, maar hij kende Idrissa van reputatie. Jim accepteerde Idrissa als zijn generaal en beloofde plechtig alles te zullen doen wat Idrissa hem beval. Zolang Idrissa Jim als soldaat bleef behandelen, waren er geen problemen. Af en toe probeerde hij Jim wat meer de vrije hand te geven, maar dat liep steeds direct mis. Toen Jim eindelijk zijn draai had gevonden in het tehuis, nam Idrissa hem mee de straat op om kindsoldaten te demobiliseren. Na een paar dagen liet hij Jim in zijn eentje op pad gaan, en droeg hij de verantwoordelijkheid aan hem over. Alles verliep volgens plan. Jim paste zich steeds beter aan de tehuisregels aan en omdat hij zijn eigen jongens moest begeleiden, ging hij zich ook steeds beter gedragen. Pa Turay hielp Idrissa om Jim te leren hoe hij zich als burger moest gedragen.

Het tehuis kwam steeds voller te zitten, waardoor er een voedseltekort ontstond. Na een week honger lijden hadden alle kindsoldaten er genoeg van en spraken met elkaar af dat als ze nog een dag geen eten zouden krijgen ze de staf zouden aanvallen. Een aantal van hen had gezien dat de staf het eten mee naar huis nam, en dat Pa Turay zelfs de grote zakken rijst aan de buurtbewoners verkocht en het geld in zijn zak stak. De jongens pikten dat niet, want de rantsoenen waren voor hen bestemd en daarom vonden ze dat de staf een lesje moest krijgen.

Terwijl de rest van de jongens het kantoor van de medewerkers plunderden, wist Idrissa Jim over te halen om het voedsel terug te stelen. Met kapotte flessen gingen ze met z'n tweeën de woonwijk in. Op een van de veranda's, aan het einde van de straat, waren twee vrouwen aan het koken. De perfecte slachtoffers. Idrissa had verwacht dat de vrouwen doodsbang zouden reageren, maar in plaats daarvan renden ze hen achterna met grote stokken. Door het tumult dat ontstond, raakten alle buurtbewoners erbij betrokken, en voordat ze het wisten zat er een horde kwade burgers achter hen aan. Idrissa en Jim wilden zich niet laten kennen en besloten de menigte te bedreigen. Zonder hun geweer maakten ze echter geen indruk. Snel vluchtten ze terug naar het tehuis en gooiden de poort dicht.

De burgers gooiden stenen over de omheining. Daarna volgden brandende kranten en brandbommen en wisten de buurtbewoners het terrein binnen te dringen. Idrissa en Jim werden zo hard in elkaar geslagen dat ze allebei het bewustzijn verloren. Ze werden opgelapt in de ziekenboeg. Toen ze weer naar de slaapzaal werden gestuurd, werden ze opgewacht door de hele groep tehuisjongens. De burgers bleken het tehuis bestormd te hebben en alle jongens te pakken genomen te hebben. Een van de tehuisjongens was bij het gevecht dat daarop ontstaan was, doodgestoken. De ex-kindsoldaten gaven Jim en Idrissa de schuld, en op de slaapzaal werden ze daarom nog een keer in elkaar geslagen. Van de tehuisleiding mochten ze een week niet eten. Hun straf was zwaar en Idrissa voelde zich schuldig tegenover Jim. Het was immers zijn schuld. Maar Jim klaagde geen seconde en wist zich zelfs beter staande te houden dan hijzelf. Toen hij bijna bezweek van de honger ging Jim eropuit om eten voor hem te vinden. Hij kwam terug met een zak sinaasappels, die hij af had weten te bedelen bij een van de straatverkoopstertjes. En hoe de andere jongens ook probeerden Jim op te stoken tegen Idrissa, Jim bleef loyaal aan hem.

Na vier maanden in het tehuis braken er plotseling weer gevechten uit, net buiten Freetown. Overheidssoldaten kwamen naar het tehuis om vrijwilligers te ronselen. De rebellen bleken de toegangsweg naar Freetown afgesloten te hebben. Jim meldde zich direct aan. Hij had een aantal jaren bij de rebellen gevochten en was daarna door de Kamajors ontvoerd, precies zoals het ooit bij Idrissa was gegaan.

Jim was Kamajor in hart en nieren, daarom wilde hij graag de confrontatie aangaan met de rebellen. En bovendien verlangde Jim al die tijd al terug naar het vechten. Hoewel Idrissa zelf moe was van het vechten, wilde hij Jim niet in zijn eentje laten gaan. De soldaten vertelden hun dat het om een splintergroepering ging, een groep mannen die zich hadden afgesplitst van de RUF. Ze hadden de beste soldaten nodig om de groep te verslaan. Idrissa wist dat hij een van de beste strijders van het hele land was. Zijn hulp was nodig om het land te bevrijden en bovendien wilde hij mee om Jim te kunnen beschermen.

Gewapend met gloednieuwe AK-47's en bommenwerpers gingen ze met de soldaten mee. Onderweg rookten ze zich suf aan marihuana,vermengd met cocaïne. Idrissa had al zo'n lange tijd geen drugs meer genomen dat het hem kotsmisselijk maakte. De gevechten waren niet makkelijk. In de tijd dat hij in het tehuis had doorgebracht, had hij wat van zijn krachten verloren. Hij was niet meer zo snel en behendig, en daarbij vond hij het moeilijk om dicht bij de vijand te komen. De geweerschoten deden hem verstijven. Ineens was hij bang om dood te gaan. Over Jim had hij gelijk gehad. De jongen was voor niets of niemand bang en rende zonder angst het slagveld op.

Idrissa keek toe hoe de kogels op Jim werden afgevuurd en vlak voor zijn lichaam afbogen. Jim was een échte Kamajor. Hij had de magische bescherming die hem kogelvrij maakte. Idrissa was stomverbaasd dat het echt werkte. Jim trok alle kindsoldaten mee het slagveld op. Hij liep voorop en loodste iedereen door de vijandelijke linies. Hij viel aan, en gaf tegelijkertijd rugdekking. Jim was razendsnel. Doordat Jim zo hard vocht, kreeg Idrissa de kracht om mee te strijden. Hij voegde zich bij Jims groep en nam het commando over. Toen de duisternis inviel, trokken de rebellen zich terug.

Ze vochten bijna twee maanden om het gebied onder hun controle te krijgen. Voor Idrissa was het een moeilijke tijd. Hij vocht hard mee, maar 's nachts als hij zijn ogen sloot, kreeg hij last van beelden van de rebellen die hij vermoord had. Het lukte hem op een of andere manier niet meer rebellen als ratten te zien. Misschien kwam het omdat ze in het tehuis allemaal bij elkaar zaten, Kamajors en rebellen, en bevriend met elkaar waren geraakt en hij eigenlijk niet meer begreep wie nu de 'goeien' en wie de 'slechten' waren. Zijn vriendschap met Jim hield hem op de been. Zolang Jim vocht, vocht hij mee.

Uiteindelijk waren het de internationale troepen die erin slaagden de rebellen uit te schakelen. Het leger vroeg de kindsoldaten hun wapens in te leveren en terug te keren naar het tehuis. Idrissa stond al klaar om te ontwapenen toen Jim hem uit de rij trok. Een hele groep kindsoldaten had zich rond hem verzameld. Niemand was van plan zijn wapen nog een keer af te staan. Samen wisten ze af te dwingen dat het leger hen terugbracht naar Freetown, mét hun wapens.

Terug in het tehuis besloten ze wraak te nemen op de buurtbewoners, voor wat die hun hadden aangedaan. Schietend liepen ze de wijk in en roofden tientallen huizen leeg. In een van de huizen vonden ze een groep meisjes die ze 's avonds hadden zien tippelen. Idrissa had een van hen vaker langs de poort van het tehuis zien lopen. Hij had haar een paar keer gevraagd seks met hem te hebben, maar ze had steeds geweigerd. Ze wilde zijn geld niet, terwijl hij haar toch genoeg had geboden. Ze had hem 'vuile moordenaar' genoemd. Nu hij zijn wapen had, zou hij haar een lesje leren dat ze niet zo snel zou vergeten. Samen met twee andere jongens verkrachtte hij haar.

Een paar dagen lang terroriseerden ze het tehuis en de buurtbewoners. Het leger kwam met een grote eenheid om de jongens in toom te houden en hun wapens af te nemen. Het leger nam zelfs alles wat van glas en ijzer was mee, zodat ze niets meer als wapen konden gebruiken. De tehuisleiding sloot het terrein een maand lang af om nieuwe confrontaties tussen de kindsoldaten en de buurtbewoners te voorkomen.

Via de radio hoorden ze dat er in het land nog steeds gevechten waren. In Freetown was het nu rustig, maar in andere gebieden wilden de rebellen zich nog steeds niet overgeven. Op een dag stond Jim met een pistool voor Idrissa's neus. Hij had het ding verstopt weten te houden in een gat in de muur. Jim had gewacht totdat ze de poorten van het tehuis weer zouden openen zodat hij er stilletjes vandoor kon gaan. Hij probeerde Idrissa over te halen om weer te gaan vechten, maar Idrissa weigerde. Hij was moe van het vechten, hij had genoeg geweld gezien. Hij wilde rust. Een normaal leven leiden, naar school. Toch twijfelde hij, want Jim was zijn enige vriend, zijn bondgenoot. Als Jim vertrok, had hij niemand meer in het tehuis. Met wie moest hij rotzooi trappen? Het zou eenzaam zijn zonder Jim. Toch liet Idrissa Jim vertrekken. Hoe eenzaam hij ook zou zijn, hij wilde niet meer vechten. En Jim vertrok, samen met een van zijn jongens, Short.

Het werd steeds moeilijker om aan drugs te komen in het tehuis, of zelfs aan drank, of sigaretten. Idrissa wilde iets doen. Naar school gaan, of werken, zodat hij extra eten kon kopen, want het rantsoen in het tehuis werd steeds minder en hij werd steeds magerder. Maar in het tehuis hadden ze niets voor hem te doen en hij mocht ook geen werk zoeken. Ze beloofden hem iedere dag dat ze hem naar school zouden sturen, maar er gingen maanden voorbij zonder dat er iets gebeurde.

Hoe langer hij geen drugs of alcohol gebruikte, hoe meer nachtmerries hij kreeg. In zijn dromen werd hij achternagezeten door de zielen van de mensen die hij had vermoord. Omdat hij niemand meer had om mee te praten, raakte hij steeds meer in zichzelf gekeerd. Hij werd gek van de verveling. Soms zat hij dagen achtereen op precies dezelfde plek, alleen met zijn gedachten. Soms, als het heel stil was en hij niet naar de gesprekken van anderen kon luisteren, vulde zijn hoofd zich met geschreeuw en genadekreten uit het verleden. Hij probeerde van alles om het geschreeuw buiten te sluiten. Hij ging rennen, sloeg zijn hoofd tegen een muur, probeerde in slaap te vallen, maar niets werkte. Op een dag werd hij er zo radeloos van, dat hij zijn handen over zijn oren sloeg en het op een schreeuwen zette. Zo had hij ook ooit het doofmakende geluid van de zware bommenwerper weten buiten te houden. Het werkte. Zolang hij schreeuwde, wist hij de kreten het zwijgen op te leggen. Maar al snel werd hij de gek van het tehuis genoemd, waardoor hij het niet meer durfde te doen. Om het nadenken te stoppen, begon hij te lopen. Hij legde iedere dag kilometers en kilometers af om rust te vinden, maar het was alsof iedereen hem kende en wist wat hij gedaan had. Hij werd nageroepen op straat. Ze noemden hem duivels, door en door slecht en een moordenaar. Waar hij ook ging, iedereen wees hem af. Maar hij gaf niet op. Hoe vaker hij onder de burgers kwam, hoe meer hij deel van hen wilde uitmaken. Hij wilde erbij horen. Hoe vaak ze hem ook uitscholden, hij bleef aardig. Hij had de hoop dat ze hem op een dag zouden accepteren. Hij raakte aan de praat met een van de straatverkoopsters in de straat van het tehuis. Het meisje verkocht sinaasappels net buiten de poort. Waarschijnlijk hetzelfde meisje als waar Jim de sinaasappels van had gekregen toen hij in de ziekenboeg lag.

Het meisje was aardig tegen hem en deed net alsof het niet uitmaakte dat hij kindsoldaat was. Hij vertrouwde haar en daarom begon hij haar zijn oorlogsherinneringen te vertellen. Hij moest het aan iemand kwijt, want als hij er in het tehuis iets over vertelde, werd hij er vroeg of laat belachelijk mee gemaakt. Het meisje luisterde naar zijn verhalen. Ze zei nooit iets. Ze gaf hem wat gratis sinaas-appels en daar bleef het bij.

Hoe meer hij met het meisje omging, hoe leuker hij haar begon te vinden. Hij begon zelfs over haar te dromen. Hij werd verliefd op haar, maar hij durfde het haar niet te vertellen. Hij begon met haar te flirten, maar dat maakte geen indruk op haar. Ze negeerde zijn avances, alsof ze niet doorhad dat hij wat met haar wilde. Na een paar weken van indirecte afwijzingen, had hij er genoeg van en besloot haar gewoon te vragen of ze geïnteresseerd was in hem. Het meisje reageerde geschokt. Vriendschap vond ze prima, maar ze kon echt geen relatie aanknopen met een kind-soldaat. Idrissa was verbaasd. Hij had haar zo vaak verteld over zijn status als krijger, ze wist hoe goed hij was, en dat hij het zelfs tot generaal had weten te schoppen. Ieder ander meisje zou dolblij geweest zijn dat iemand als hij, met zijn status, haar wilde. Maar dit meisje was eigenwijs. Idrissa liet zich niet zomaar afwijzen. Hij bleef het proberen, totdat het meisje uiteindelijk kwaad op hem werd. 'Luister eens', zei ze tegen hem. 'Ik mag dan wel arm zijn, maar ik kan mijn eigen geld verdienen. Ik zal nooit iets aanknopen met een kindsoldaat!'

'Pardon?' vroeg Idrissa geschokt.

'Je hebt me wel gehoord', antwoordde het meisje. 'Je bent een kindsoldaat, een moordenaar, ik moet je niet!'

Idrissa hapte naar adem. Hij begreep niet wat ze bedoelde. Ze zei het alsof het iets heel ergs was, maar hij had jaren hard gestreden om meisjes als zij te bevrijden. Hoe had ze dan gedacht dat dat moest gebeuren? Ze was gewoon ondankbaar of misschien had ze zelf wel ooit bij de vijand gevochten. Hij confronteerde haar met haar arrogante gedrag. 'Ik heb zeven jaar lang gevochten om meisjes zoals jij te beschermen en te bevrijden. Ik lag jarenlang in loop-graven om ervoor te zorgen dat jullie, laffe burgers, naar school konden, of naar jullie werk. Je bent een ondankbaar kreng!' zei hij kwaad.

Het meisje lachte hem uit. 'Je beschermde ons? Man, laat me niet lachen, we waren doodsbang voor jullie. Kindsoldaten zijn knettergek, dat weet iedereen.'

'Knettergek?' herhaalde Idrissa verbaasd.

'Knettergek ja', zei het meisje. 'Door de duivel bezeten. Het "kwaad". Ik vind het niet erg om met je te praten, maar daar houdt het ook op. Ik wil niet eens dat je me aanraakt, je bent een vuile moordenaar!'

'En wat is er zo slecht aan moorden?' vroeg hij het meisje uitdagend.

Het meisje begon hysterisch te lachen. 'Dat je niet weet wat er slecht is aan moorden, bewijst dat iedereen gelijk heeft over jullie. Jullie zullen nooit veranderen. Jullie zijn en blijven moordenaars en daarom wil ik niet dat je nog in mijn buurt komt.'

'Een rat maak je toch ook dood als hij je huis binnendringt?' zei hij.

Het meisje lachte minachtend. 'Een rat is wel even wat anders dan een mens. Normale mensen moorden niet, meneer de Generaal. Normále mensen moorden niet, hoor je me?' vroeg ze. 'En laat me nu met rust. Straks vermoord je mij ook nog. Ga weg!'

Idrissa droop af. Hij was totaal in de war. Was hij dan niet normaal? Of was het meisje gewoon gek? Maar ook de andere buurtbewoners behandelden hem alsof hij een beest was en er werd wel vaker 'moordenaar' naar hem geroepen. Waarschijnlijk dachten de andere burgers precies hetzelfde over hem. Maar wat wisten die burgers ervan? Zij hadden altijd anderen voor zich laten vechten, terwijl ze zichzelf veilig in hun huizen of in de bush verscholen. En het waren diezelfde burgers die de Kamajors altijd hadden gesmeekt de rebellen 'uit te roeien', ze allemaal te vermoorden. Maar nu ze hem niet meer nodig hadden, was het ineens slecht wat hij gedaan had? Ze waren gewoon jaloers. En daarbij waren ze waarschijnlijk bang dat ze hem iets zouden moeten betalen, omdat hij hun leven gered had.

Het was gewoon ondankbaarheid, want hoe vaak had hij nu al vanuit het tehuis toegekeken hoe de burgers op rebellen- jacht gingen? Als ze een rebel te pakken kregen, vermoordden ze die met z'n allen. Soms sneden ze een rebel het hoofd af en staken het als een trofee op een stok, waarmee ze door de straten paradeerden. Waren ze zelf dan geen moordenaars? Hij begreep het verschil niet. Doden is doden. Het moest dus wel jaloezie zijn.

Idrissa liet zich niet van de wijs brengen. Hij bleef toenadering zoeken tot de buurtbewoners, ook al deden ze nog zo onaardig tegen hem. Hij vroeg ze niet om geld, hij vroeg ze om niets, dus zouden ze hem na verloop van tijd heus wel accepteren. Maar hoe hij het ook probeerde, hij vond niemand die zelfs maar met hem wilde praten. Op straat werd hij vaak 'satan' en 'duivel' genoemd. Hij wist dat het een belediging moest zijn, maar hij had er geen idee van wat het betekende. Hij besloot het aan Pa Turay te vragen. Die sociaal werker was wat minder gemeen dan de andere stafleden. Misschien zou de man hem wel een normaal antwoord geven.

Pa Turay schudde echter alleen zijn hoofd en gaf Idrissa een bijbel. Hij moest het antwoord maar zelf opzoeken in het dikke boek. Maar Idrissa kon niet goed lezen en het boek was ook veel te moeilijk geschreven. Hij kon zich er niet doorheen worstelen. Hij ging terug naar Pa Turay om hem om uitleg te vragen. Hij kreeg een uitgebreide uitleg over goed en slecht, hemel en hel en God en satan. Hemel en God stonden voor het goede in de mens, hel en satan stonden voor het kwaad of het slechte in de mens.

'Volgens de buurtbewoners ben ik dus een slecht mens?' vroeg Idrissa aan Pa Turay.

'Daar lijkt het op', antwoordde de man.

Dat stak hem. Hij had altijd geprobeerd een goed mens te zijn, een goed leider, een goed soldaat, zodat ze de oorlog zouden winnen. Onzeker vroeg hij: 'Pa Turay, vindt u dat ook, dat ik een slecht mens ben?'

'Dat zal God beoordelen', antwoordde de man. 'Daar kan geen mens iets over zeggen. Maar als ik God was, zou ik je eeuwig in de hel laten branden voor de dingen die je hebt gedaan.' De man keek hem strak in de ogen.

Bij Idrissa sloegen de stoppen door. Hij sprong op van zijn stoel en greep Pa Turay, die aan de andere kant van het bureau zat, bij zijn strot.

'Idrissa...' bracht de man uit. 'Je bent hier niet in de bush. In de beschaafde wereld lossen we de dingen niet met onze vuisten op.'

Die opmerking maakte Idrissa helemáál nijdig. Hij sloeg Pa Turay het hele kantoor door. Hij greep de man nog een keer bij zijn keel en probeerde hem tegen de muur klem te zetten. Hij raakte afgeleid doordat de deur werd opengegooid. Jim stond in de deuropening. Hij was zo blij om Jim weer te zien, dat hij Pa Turay totaal vergat. Toen zag hij de hand met het horloge op zijn gezicht afkomen. Het volgende moment lag hij op de grond. Boven zijn wenkbrauw zat een grote wond, waar het bloed uitgutste. Pa Turay had hem met zijn horloge hard op zijn hoofd geslagen. De man haastte zich het kantoor uit, de gang op, om versterking te halen. Jim deed niets, hij stond met open mond naar Idrissa te kijken.

'Jim!' riep Idrissa. 'Kom op man, help me overeind voordat die gast terugkomt.'

Jim bleef in de deuropening staan. Pas toen zag Idrissa dat zijn handen vastgebonden waren. Jims gezicht was opgezwollen en één oog zat dicht. Hij had kennelijk een goed pak slaag gehad.

Na de vechtpartij met Pa Turay werd Idrissa overgeplaatst naar Kenema. De stad waar hij bij de Kamajors gestationeerd was geweest, in het zuidoosten van het land. Het was uren rijden van Freetown. Jim mocht niet mee naar Kenema, hoe ze er samen ook om smeekten. In Kenema ging hij niet naar een tehuis. Hij mocht bij een familie in huis wonen. Bij het schoolhoofd van een van de middelbare scholen en zijn twee zoons. De moeder bleek door de rebellen te zijn vermoord, in 1996, toen Idrissa zelf ook nog bij de rebellen vocht. De woonkamer hing vol met foto's van de vrouw en in de hoek van de kamer had de familie een klein altaartje voor haar opgericht. Op de foto had de vrouw een vriendelijk gezicht. Ze zag er niet uit als een gevaarlijk iemand. Idrissa vroeg zich af waarom de rebellen haar hadden vermoord, maar hij durfde het niet te vragen. Hij wist wel zeker dat hij de vrouw zelf niet had vermoord, want hij herinnerde zich al zijn slachtoffers nog. Maar toch voelde hij zich schuldig. Het was bij de rebellen wel vaker gebeurd dat ze veel te ver waren gegaan door de drugs en in die tijd had hij burgers altijd als de vijand beschouwd. Hij dacht er in die tijd nooit over na dat ze iemands moeder of vader vermoordden. Behalve dan die ene keer in Liberia, met de vader van Thomas.
De rebellen hadden hem geleerd dat ze het land probeerden te bevrijden, zodat iedereen een beter leven zou krijgen. Dat burgers die de rebellen niet steunden de vijand waren, omdat ze de overheid steunden. Dat de overheid wilde dat de leden van een van de stammen rijk zouden zijn, en dat

de andere stammen niet zouden verhongeren. Volgens de Kamajors was het waar wat de rebellen zeiden, maar deden ze net alsof ze voor vrijheid streden om van het land en de burgers te kunnen stelen. Idrissa had nooit geweten wat hij moest geloven, en dat wist hij nog steeds niet. Maar hij kon aan het gezicht van de vrouw zien dat ze niets slechts kon hebben gedaan, en daarom voelde hij zich schuldig. Hij zag dat de familie haar miste, misschien wel net zo erg als hij Aicha nog steeds miste.

Hij kreeg spijt dat hij ooit bij de RUF had gevochten. Hij schaamde zich, want hij begreep nu pas dat de RUF heel slechte dingen had gedaan. Hij wilde niet dat deze familie ooit te weten zou komen dat hij bij de RUF had gezeten. Hij zou er alles aan doen om te zorgen dat ze het nooit zouden weten. Pa Sesay, het schoolhoofd, gaf Idrissa les in lezen, schrijven en rekenen, totdat hij het goed genoeg onder de knie had om naar school te kunnen. Zijn wens kwam uit, daar had hij bijna een jaar op gewacht. Maar de school was een grote teleurstelling. Iedereen wist dat hij kindsoldaat was geweest, en hij werd dan ook met de nek aangekeken. In de klas wilde niemand naast hem zitten en in de pauzes werd hij uitgescholden en getreiterd.

Soms werd hij kwaad en wilde hij op de vuist gaan, maar tegelijkertijd wende hij eraan. Hij zou ze bewijzen dat hij niet slecht was, hij wist alleen niet hoe. Alpha, de jongste zoon van Pa Sesay, nam hem mee naar de kerk. Iedere zondag. Hij vond het saai en had een hekel aan de donder-preken die de priester gaf. Het ging steeds over God en Jezus, en hij had er geen idee van wie dat waren. Maar hij bleef meegaan naar de kerk omdat hij Alpha niet wilde teleurstellen. Omdat hij altijd alleen was, zat hij constant met zijn neus in de boeken. Het leidde hem af van zijn gedachten en de stemmen in zijn hoofd. Hoe meer hij las, hoe meer hij wilde leren. Vooral over de geschiedenis van Liberia en Sierra Leone. Maar ook recht en overheid vond hij interessant. Hij leerde wat woorden als 'revolutie' en 'dictatuur' betekenden. Dingen waar hij bij de RUF voor had gestreden, maar die hij nooit had begrepen. Of 'democratie', waar hij bij de Kamajors voor had gevochten. Hij probeerde te ontrafelen hoe de oorlogen in Liberia en Sierra Leone eigenlijk in elkaar zaten, en waar hij nou eigenlijk voor had gevochten.

Hij leerde dat hij in Liberia had gevochten voor president Samuel Doe, een man die aan de macht was gekomen door een staatsgreep. Een man die de leden van één stam wilde bevoordelen boven de andere stammen. De Krahn-stam. De stam van zijn vader. Zijn moeder was een Madingo. De ULIMO vocht om president Doe weer aan de macht te krijgen. Nadat die door ene Johnson was vermoord, vocht de ULIMO tegen deze Johnson en Charles Taylor. Maar wat ze nou precies wilden bereiken, werd hem niet duidelijk. Wel leerde hij dat de RUF en Charles Taylor samen hadden gewerkt en dat de ULIMO zelfs naar Sierra Leone was gegaan om tegen de RUF te vechten. De beide oorlogen zaten zo ontzettend ingewikkeld in elkaar dat het voor Idrissa niet te ontrafelen viel. Eén ding werd hem wel duidelijk: geen enkele van de gewapende groeperingen was 'goed'.

Ze hadden allemaal dingen gedaan die niet klopten. En ze hadden er niets mee bereikt, behalve dan dat zowel Liberia als Sierra Leone totaal vernield waren. Wat Idrissa van de hele geschiedenis leerde, was dat oorlog niets anders dan vernietiging was. Pure vernietiging. Het had niets goeds voortgebracht.

Hoe langer hij onder de burgers verbleef, hoe meer hij de behoefte kreeg bij hen te horen. Hij luisterde hun gesprekken af, vooral als ze over de oorlog spraken. Heel veel mensen waren al hun bezittingen kwijtgeraakt en het leek wel alsof iedereen familieleden had verloren. Hij luisterde naar hoe de rebellen hun huizen waren binnengedrongen, zonder reden, en hun man of moeder had vermoord. De burgers haatten de rebellen. Idrissa had het nooit van hun kant bekeken, maar hoe meer ze vertelden, hoe meer hij zich realiseerde dat ze gelijk hadden. Met de RUF waren ze regelmatig zomaar woonwijken of dorpen binnengevallen, soms zelfs uit verveling. Ze vermoordden soms mensen als ze weigerden hun geld of dure spullen af te geven.

Hij begon steeds meer in te zien dat hij slechte dingen had gedaan bij de RUF. Soms wilde hij zijn excuses aanbieden aan de burgers, maar hij wist niet hoe. En bovendien, niemand wist dat hij ook bij de RUF had gevochten. Voor hen was hij een Kamajor en dat wilde hij zo laten. Ook al hadden burgers nu na de oorlog een hekel aan álle krijgers, een Kamajor was nog altijd net iets beter dan een rebel. De Kamajors hadden voor de burgers gevochten, dus waren ze helden. Maar omdat ze de Kamajors ook hadden zien moorden en martelen, waren de burgers gewoon bang voor ze.

Idrissa bedacht zich dat als hij door de burgers geaccepteerd wilde worden, hij ervoor moest zorgen dat ze niet meer bang voor hem waren. Hij lette goed op hoe andere jongens van zijn leeftijd zich gedroegen. Geweld werd niet getolereerd onder de burgers, alleen vechtpartijen tussen kinderen. Als ze ruziemaakten, schreeuwden ze tegen elkaar, of dreigden ze, maar het kwam nooit tot vechten. Eén keer zag hij twee mannen met elkaar op de vuist gaan, maar daar stond binnen een paar minuten een politieagent bij. Als je geweld pleegde ging je de cel in, of je nu gelijk had of niet. Idrissa nam zich voor om zelfs niet eens kwaad naar iemand te kijken.

Ook al bleven de burgers hem afwijzen, hij bleef het proberen. Omdat hij uitblonk in zijn klas, werd hij in het nieuwe schooljaar klassenvertegenwoordiger gemaakt. Zo had hij behoorlijk wat aanzien en macht, wat interessanter was voor zijn klasgenoten dan zijn verleden als Kamajor. Plotseling was hij populair onder zijn klasgenoten. Omdat hij in veel vakken beter was dan Alpha, vroeg Pa Sesay Idrissa zijn zoon bijles te geven. Idrissa deed zijn uiterste best om ervoor te zorgen dat Alpha hoge cijfers zou halen. Meer dan een halfjaar ging het goed. Op school kreeg hij respect en haalde hij goede cijfers. Thuis had hij geen problemen. Hoewel hij niet echt bij de familie hoorde, waren ze toch aardig tegen hem. Hij werkte hard en zorgde ervoor dat hij niemand tegen zich in het harnas joeg. Net toen alles goed leek te gaan, kwamen de stemmen en de oorlogsgeluiden weer terug in zijn hoofd. Soms heel onverwachts, tijdens het koken of in de klas. Telkens als dat gebeurde, zette hij het op een schreeuwen. Op school werd hij er om uitgelachen, en op straat begonnen mensen hem uit te schelden. Een vrouw zei hem verwijtend dat hij bezocht werd door gekwelde geesten en dat dat een teken was dat hij heel erg slecht was. Volgens de vrouw zouden de zielen van de mensen die hij gedood had hem op een dag in zijn slaap komen vermoorden. Idrissa wilde het niet geloven en hij probeerde zelf een andere verklaring te zoeken. Toch deed hij 's nachts geen oog meer dicht, uit angst dat de vrouw misschien toch gelijk had.

Hij probeerde van alles om de stemmen het zwijgen op te leggen, maar niets werkte. Alleen als hij marihuana rookte werd het stil in zijn hoofd, maar zodra de marihuana uitgewerkt was, kwamen de stemmen weer terug. Hij dacht dat het misschien kwam omdat hij geen bloed meer dronk, want dat had hij tijdens de oorlog iedere dag gedaan, en toen had hij geen last van de stemmen gehad. Maar hij had geen idee hoe hij nu aan mensenbloed kon komen, dus moest hij een andere oplossing bedenken.

Hoe vaak hij ook schreeuwbuien had, de familie Sesay negeerde het volkomen. Terwijl de hele stad hem nu met de nek aankeek, bleef de familie Sesay aardig tegen hem. Dat maakte hem nerveus en achterdochtig. Wat wilden ze van hem? Het moest haast wel een val zijn. Hij had een klein kamertje, een eigen bed, en ze gaven hem te eten, maar hij moest ook alle huishoudelijke klussen voor ze doen. Hij bediende de twee zoons en hielp Alpha met zijn huiswerk. Hij was geen derde zoon geworden, maar eerder de huisslaaf. Ze gebruikten hem als slaaf omdat ze hem niets waard vonden. Daar was hij van overtuigd. Hij begon vallen achter zijn slaapkamerdeur te zetten, zodat ze hem niet in zijn slaap konden overvallen. Hij wist zeker dat ze iets slechts met hem van plan waren en hij had niets waarmee hij zichzelf kon verdedigen. Hij voelde zich machteloos zonder wapen.

Naast hem woonde een zeer magere jongen. Hij was een paar jaar ouder dan Idrissa. Op een dag, toen Idrissa weer een van zijn schreeuwbuien had, gooide de jongen een halve kokosnoot tegen zijn hoofd. Idrissa wilde de jongen te

lijf gaan, maar toen merkte hij dat het opeens stil was in
zijn hoofd.

'Wat is toch je probleem, man?' riep de buurjongen naar
hem. 'Ik word gek van je geschreeuw iedere dag. Als je het
nog één keer doet, sla ik je zo hard, dat je een hele maand
niet meer kan schreeuwen.'

'Bedreig je me?' riep Idrissa terug. 'Kom dan, ik ben klaar
voor je. Kom maar met je klappen!' Idrissa's stem trilde van
kwaadheid.

'Rustig maar, man', riep de buurjongen. Hij gooide de
schop waarmee hij aan het werk was geweest op de grond
en liep op Idrissa af. 'Ik maakte maar een geintje. Ik wilde je
gewoon aan het lachen krijgen.'

'Een geintje? Is dreigen met geweld een geintje?' vroeg
Idrissa kwaad. 'Is dat grappig?'

'Oké, oké, sorry, sorry', antwoordde de jongen. Hij stond nu
naast Idrissa, op het erf van de familie Sesay. Hij stak zijn
hand uit, ter kennismaking. 'Ik ben Emmanuel', zei hij. 'We
gaan naar dezelfde school.'

Idrissa had moeite zijn woede onder controle te krijgen. Hij
schudde Emmanuels hand en stelde zichzelf voor. 'Idrissa',
zei hij kortaf.

'Oké, Idrissa', zei Emmanuel. 'Ik bedoelde het niet lullig,
echt niet. Maar ik hoor je nu al een paar weken
schreeuwen, ik wilde je helpen, maar ik wist geen andere
manier. Wat is er met je aan de hand, man?'

Ergens voelde Idrissa er niets voor om aan een wildvreemde
tekst en uitleg te geven over zijn schreeuwbuien, maar er
was iets aan Emmanuel dat zijn vertrouwen wekte. 'Het
zijn de stemmen. Schreeuwende mensen', zei hij zachtjes.
'Gekwelde zielen die me achterna zitten.'

'Gekwelde zielen?' vroeg Emmanuel verbaasd. 'Onmogelijk. De overleden zielen gaan naar de hemel, naar God. God laat echt geen zielen lijden op aarde, daar bestaat de hemel juist voor. Het is een paradijs waar alleen maar liefde en goedheid is. Denk je nou echt dat er zielen zijn die daar niet naartoe willen?'

'Maar waarom zitten ze dan in mijn hoofd?' vroeg Idrissa.

'Ze zitten niet in je hoofd, dat zijn gewoon herinneringen. De oorlog zeker?'

Idrissa knikt ja.

'Daar hebben we allemaal last van. Toen de rebellen mijn ouders net hadden vermoord, hoorde ik ze maanden later in mijn hoofd nog om genade smeken. Ze hakten eerst mijn vaders been af. Een klein jochie, een jaar of twaalf denk ik. Hij deed het met een kapmes. Het ding was hartstikke bot, het duurde bijna een uur. Het joch bleef maar hakken. Mijn vader schreeuwde het uit. Maar mijn vader was een harde, hè. Zelfs met één been gaf hij de rebellen nog een grote bek. Om hem te straffen, schoten ze mijn moeder dood, en daarna mijn oudste broer. Toen dat gebeurde, vluchtte ik en verstopte ik me. Ik was bang dat ze mij ook iets zouden doen. Ik bleef twee dagen in de bush, zo bang was ik. Toen ik terugkwam uit de bush, hoorde ik dat ze mijn vader uiteindelijk ook hadden vermoord.'

Idrissa kreeg een brok in de keel. Het verhaal kwam hem bekend voor. 'Waar is dat gebeurd?' vroeg hij onzeker.

'In Daru', antwoordde Emmanuel.

Daar was Idrissa ook geweest met de RUF. Hij hoopte dat hij het niet gedaan had, maar hij wist dat het best mogelijk was. Hij probeerde van onderwerp te veranderen, maar Emmanuel bleef stug doorpraten.

'De jongen, de moordenaar, hij was net iets jonger dan ik. We scheelden misschien twee jaar. Dat moet een vernedering voor mijn vader geweest zijn. Hij was leraar op een jongensschool. Soms kreeg hij maandenlang geen salaris, maar toch bleef hij voor de klas staan. Hij hielp de jongens altijd. Vermoord worden door een kleine jongen, dat moet heel moeilijk voor hem zijn geweest. Hij had geprobeerd de jongen te stoppen, op hem in te praten maar het hielp niets. Ik heb er maandenlang nachtmerries van gehad. Ik hoorde mijn vader schreeuwen. Mijn moeder. Ik vond pas rust toen God me vertelde dat ze bij Hem waren, in de hemel.'

Idrissa zuchtte onhoorbaar. Hij had Emmanuel geobserveerd de afgelopen paar weken. Hij was ervan overtuigd geraakt dat Emmanuel, net als hijzelf, kindsoldaat was geweest. Emmanuel had het nog slechter dan hijzelf. Hij had geen eigen kamer of slaapplaats in het huis en sliep altijd op de veranda. Idrissa had wel vaker gezien dat Emmanuel niet te eten kreeg. Soms een hand rijst, met wat groenten, maar meestal helemaal niets. De jongen was constant aan het werk in het huis en als hij vrij was, sjouwde hij zware spullen op zijn hoofd voor anderen, voor een klein beetje geld om te eten.

Emmanuel werd zo slecht behandeld dat Idrissa er van uit was gegaan dat hij wel heel erg slecht moest zijn. Hij had nooit gedacht dat een jongen als Emmanuel, gewoon een oorlogswees, op dezelfde manier behandeld werd als een kindsoldaat. Maar volgens Emmanuel had hij gewoon niemand die voor hem kon zorgen of bij wie hij terechtkon. Dit was de enige manier voor hem om naar school te kunnen gaan.

Emmanuel vertelde dat er veel meer jongens op precies dezelfde manier leefden, en dat dat niets te maken had met hun karakter of met de dingen die ze gedaan hadden. Zo werkte dat gewoon in Sierra Leone. Wie geen geld had, maar toch naar school wilde in een van de steden, ging bij een familie wonen die een huisknecht nodig hadden. Het was in ieder geval een dak boven je hoofd, en als je geluk had wat te eten.

Idrissa en Emmanuel werden de beste vrienden. Emmanuel nam hem overal mee naartoe en stelde hem voor aan al zijn vrienden. Omdat Emmanuel overal een goed woordje voor hem deed, werd Idrissa steeds meer geaccepteerd. En hoe meer vrienden hij kreeg, hoe minder last hij had van zijn oorlogsherinneringen. Emmanuel en zijn vrienden leerden Idrissa hoe hij zich moest gedragen. Ze leerden hem dat drugs en alcohol gevaarlijk waren, dat hij zich regelmatig moest wassen voor de hygiëne, en hoe hij tegen volwassenen hoorde te praten.

Idrissa nam ieder advies aan. Hij merkte dat burgers mensen bewonderden om hun status. Als je goed presteerde op school, deftige manieren had, goed gekleed ging en naar de kerk of de moskee ging, had iedereen respect voor je. Idrissa deed het allemaal. Hij nam allerlei klusjes aan, spaarde het geld op en kocht nette kleren. Zelfs als hij maar een kleine boodschap moest doen, zorgde hij ervoor altijd in pantalon en net overhemd gekleed te gaan.

Zijn metamorfose viel in goede aarde bij de burgers en steeds meer meisjes kregen oog voor hem. Hij werd verliefd op een meisje met een heel fijn gezichtje, Mary, maar zij keurde hem nog geen blik waardig. Omdat hij indruk op

haar wilde maken, werd hij lid van haar kerk. Iedere zondag
ging hij in zijn netste kleren naar de kerk en deed net alsof
hij streng gelovig was. De pastoor vroeg hem of hij voor de
kerkgemeenschap wilde spreken over zijn verleden, als
boetedoening. Idrissa aarzelde, want hij wilde zijn verleden
vergeten en een gewone jongen zijn. Toch nam hij de
uitnodiging aan omdat hij Mary duidelijk wilde maken dat
hij geen slecht mens was. Dit was de enige manier waarop
hij het meisje naar hem kon doen luisteren.

Op een zondag, voor een overvolle kerk, vertelde hij daarom
wat hij had gedaan als kindsoldaat, al verzweeg hij de
ergste dingen. Hij bood de kerkgemeenschap zijn excuses
aan, vertelde dat hij het niet met zijn volle bewustzijn had
gedaan, maar dat de drugs hem 'gek' hadden gemaakt. Hij
vertelde over de dood van zijn vader en zei dat zijn oom
hem had gedwongen om mee te vechten. Hij vertelde over
zijn nachtmerries en de slechte herinneringen en vroeg
God, ten overstaan van iedereen, om vergeving. Hij was
bang geweest dat iedereen hem met de nek aan zou kijken,
maar na de kerkdienst kwam iedereen naar hem toe om
hem te vertellen hoe dapper hij was, en dat ze begrepen dat
het zijn schuld niet was. Iedereen omhelsde hem en heette
hem officieel welkom in hun kerk. Iedereen, behalve Mary.
Toen hij later aan Emmanuel vroeg hoe het kon dat de
kerkgasten zo warm op hem hadden gereageerd, legde
Emmanuel uit dat dat het werk van God was. Idrissa
begreep er niets van, maar hij werd wel nieuwsgierig naar
God. Die avond las hij urenlang in de Bijbel, totdat hij te
moe was om verder te lezen. 's Nachts droomde hij dat God
tegen hem sprak. Hij zou Idrissa nog een kans geven om
zijn leven te beteren en een beter mens te worden. God zei

tegen Idrissa dat hij zich aan de regels moest houden die Hij aan de mensen had gegeven in de Bijbel. Idrissa kon nog steeds bij God in de hemel komen, maar dan mocht hij nooit meer geweld plegen of stelen. God vertelde Idrissa waar in de Bijbel hij de regels kon vinden.

's Ochtends, toen hij wakker werd, pakte hij direct de Bijbel. Hij vond de geboden precies waar God ze hem aangewezen had. Vanaf die dag had hij nooit meer last van nachtmerries. Het was precies zoals Emmanuel hem verteld had. Wie een goed leven had geleid, ging naar de hemel. Slechte mensen gingen voor eeuwig naar de hel, een plek die veel op de Sierra Leoonse oorlog leek. Idrissa nam zich voor nooit meer een ander mens kwaad te doen. Hij wilde naar de hemel als hij doodging. In de hel was hij al veel te lang geweest.

Maanden verstreken. Hij deed zijn best om toenadering te zoeken tot Mary. Hij gaf haar kleine cadeautjes en liefdes-brieven. Het leek te werken. Mary glimlachte steeds vaker naar hem en op een dag bleef ze na de kerkdienst hangen om met hem te praten. Idrissa dacht dat ze eindelijk overstag zou gaan, maar in plaats daarvan vroeg ze hem om haar met rust te laten. Haar ouders wilden niet dat ze met hem omging vanwege zijn verleden. Mary wilde niet dat hij haar in de problemen met haar ouders bracht.

Idrissa veranderde zijn strategie. Hij liet Mary met rust en bood in plaats daarvan zijn hulp aan haar ouders aan. Hij waste hun auto op zaterdag en werkte op zondagmiddag in hun tuin. Maar wat hij ook deed, Mary's ouders bleven onvermurwbaar als het om een relatie met hun dochter ging.

Na drie jaar middelbare school in Kenema riep Pa Sesay

Idrissa bij zich om met hem te praten. Het was vlak voor de start van het nieuwe schooljaar. Idrissa zou naar de eindexamenklas gaan. Hij was de beste van de klas en hij was van plan als hoogste te eindigen bij de eindexamens. Maar Pa Sesay had slecht nieuws voor hem. Zijn oudste zoon zou naar de universiteit gaan, en omdat de tarieven waren verhoogd, kon Pa Sesay Idrissa's schoolgeld niet langer betalen. Het DDR-programma had twee jaar middelbare school voor hem betaald en Pa Sesay had het overgenomen toen het programma de hulp aan Idrissa stopzette.

Er was niemand die het over kon nemen en het was te laat voor Idrissa om zelf het geld bij elkaar te sparen. Pa Sesay bleek uiteindelijk ook niet genoeg geld te hebben om Idrissa nog langer in huis te houden. De overheid had hem al een paar maanden geen salaris uitbetaald. Idrissa ging van deur tot deur, maar niemand wilde hem in huis nemen. Teleurgesteld en ten einde raad pakte hij zijn spullen in en vertrok naar Freetown. Kenema was een kleine stad, hij hoopte in Freetown meer geluk te hebben.

Het leven in Freetown was een stuk harder dan in Kenema. De mensen waren er veel afstandelijker en namen niet zo makkelijk een vreemde op in hun huis. Hij ging naar alle kerken in de binnenstad om daar hulp en onderdak te vragen, maar hij werd overal afgewezen. Hij sliep in autowrakken die overal in de sloppenwijken stonden. Binnen een week hadden de straatcriminelen hem van al zijn bezittingen beroofd. Hij moest zich wassen in een bijna opgedroogde stroom, waar rottend vuilnis in ronddreef.

Toen al zijn geld op was, moest hij ook uit de stroom drinken en zocht hij het vuilnis af naar iets eetbaars. Dagenlang lag hij doodziek in een autowrak, met hoge koorts en zware diarree. Zwaar ijlend beroofde hij een klein meisje dat geroosterde pinda's verkocht. Het geld was net genoeg om medicijnen en drinkwater te kopen. Hij kwam er bovenop, maar zijn lichaam was zo verzwakt dat hij nog steeds heel vatbaar was voor andere ziekten. Hij moest goed eten om aan te sterken, maar hij had geen geld en hij kon ook geen werk vinden omdat hij er zo slecht uit zag. Hij ging bedelen in de binnenstad, maar hij haalde niet eens genoeg op om een bord droge rijst te kopen. Hij bad tot God om hulp, maar kreeg geen antwoord, en er veranderde niets aan zijn situatie.

Ten einde raad ging hij stelen, iedere dag, om zichzelf in leven te houden. Hij kwam in een van de getto's terecht, waar hij Jim tegenkwam. Jim had nog steeds een pistool waarmee hij gewapende overvallen pleegde. Hij was een van de populairste jongens in het getto. Hij sprak inmiddels Krio, maar verder was hij geen haar veranderd. Hij was nog steeds agressief en wild en leefde erop los, alsof het nog steeds oorlog was. Hij had een hele groep jongens om zich heen verzameld, die samen met hem een kleine bende vormden.

Jim was blij Idrissa te zien en hij ontfermde zich gelijk over hem. Hij stuurde een van zijn jongens eropuit om eten, bier en marihuana te gaan kopen. Hij ritselde ergens kleren en schoenen vandaan en zorgde ervoor dat Idrissa een slaapplaats kreeg in een van de vervallen gebouwen in het getto. Idrissa was hem dankbaar, maar toch voelde hij zich ongemakkelijk tussen de straatjongens. Sommigen van hen herkende hij van zijn tijd bij de RUF. Sommigen waren verstoten door hun families toen ze na afloop van de oorlog terug naar hun dorpen geprobeerd hadden te gaan. Sommige jongens waren bij de RUF opgegroeid en hadden daarom niemand bij wie ze terechtkonden. Er waren ook een paar jongens en meisjes bij die niet terug naar huis wilden. In het getto konden ze makkelijk geld verdienen met gewapende overvallen, als ze weer naar huis terug zouden gaan, zouden ze in armoede moeten leven.

Jim bleek twee jaar naar school te zijn geweest, maar hij zat nu in hetzelfde schuitje als Idrissa. Niemand kon zijn schoolgeld betalen en hij kon nergens onderdak krijgen. Het getto was de enige plek waar hij kon overleven.

Het getto had zo zijn eigen wetten en regels. De criminelen werkten samen met de politie en de opbrengsten werden met een bepaalde groep gedeeld. Omdat Idrissa door Jim verzorgd werd, viel hij automatisch onder Jims groep, en werd er van hem verwacht dat hij meeging op rooftocht. Idrissa wilde dat liever niet, hij herinnerde zich wat God hem gezegd had, maar hij had geen keuze. Jim gaf hem een handpistool en samen met Jims vriend Short, beroofden ze een oude man. Idrissa was nuchter, maar Short en Jim stonden stijf van de drugs en Short draaide volledig door. Hoewel de man direct al zijn geld aan hen gaf, begon Short hem te slaan en schoot hij de man uiteindelijk dood. Idrissa raakte volledig overstuur. Het was de eerste keer dat hij nuchter iemand zag sterven. Zijn maag draaide om. Toen ze terug in het getto kwamen, vertelde Short aan iedereen dat Idrissa zich als een lafaard had gedragen. Idrissa werd uitgedaagd en uitgelachen.

's Nachts toen hij sliep, zette een van de jongens een pistool op zijn gezicht en beroofde hem van zijn aandeel in de buit. Jim hielp hem door zijn eten voor hem te betalen, maar hoe langer hij voor zich liet zorgen, hoe vaker hij werd bedreigd door de andere jongens. Hij wist dat dat niet lang goed kon gaan. Voor de volgende overval dronk hij zichzelf moed in en nam een grote snuif cocaïne. Hij raakte zijn angst kwijt en ging de straat op. Hij beroofde een rijke zakenman van zijn mobiele telefoon, zijn laptop en zijn geld. Hij nam ook het zakenkoffertje van de man mee, waar bij terugkomst in het getto een grote zak met diamanten in bleek te zitten. Het was een enorme buit.

Met de opbrengst kon hij bijna twee maanden vooruit zonder nieuwe overvallen te hoeven plegen. Hij kocht nette kleding en ging op zoek naar een baan. Hij liep winkels af, kantoren en zelfs huizen, voor kleine klusjes. Hij werd overal geweigerd. Iedereen herkende hem als kindsoldaat, alsof het op zijn voorhoofd geschreven stond. Hij wilde het criminele wereldje uit en terug naar school, om iets van zijn leven te maken. Hij nam Jim in vertrouwen. Samen liepen ze organisaties af die met oorlogskinderen of kindsoldaten werkten. Niemand wilde hen helpen. Ze waren te oud om nog hulp te krijgen. De organisaties werkten met kleine kinderen en Idrissa was 19, Jim was 15.

Ze bedachten samen een plan. Tijdens hun reïntegratie-periode hadden ze gezien dat hun commandanten geld in hadden gepikt dat eigenlijk voor hen bestemd was geweest. Ze vonden dat het tijd was dat die commandanten daar iets van teruggaven. Ze wisten twee commandanten op te sporen. Jim had geluk. Zijn commandant bood aan hem in huis op te nemen, maar Idrissa's commandant weigerde. De man gaf hem het adres van Sourgie, de man die ooit zijn leven had gered toen hij gevangen was genomen door de Kamajors. Sourgie vertelde dat Idrissa's zus nog steeds in Freetown woonde en dat zij hem vast zou willen helpen. Hij wist niet precies waar ze woonde, maar hij wist zeker dat het ergens in de wijk Wellington moest zijn, een van de buitenwijken van Freetown.

Dagenlang liep hij rond in Wellington, op zoek naar zijn zus. Het was zo lang geleden dat hij haar voor het laatst gezien had, hij kon zich haar gezicht niet eens meer herinneren. Uiteindelijk vond zij hem, omdat hij overal naar haar had rondgevraagd. Hun weerzien was emotioneel. Zijn zus nam hem direct in haar huis op, ook al was er eigenlijk geen ruimte voor hem. Ze had zes kinderen en het huis had maar twee kamers. Maar het was beter dan rondzwerven op straat en in het getto wonen.

Samen met zijn zus verkocht hij maïskoekjes aan de rand van de drukke hoofdweg. De opbrengst was nauwelijks genoeg om het hele gezin van te kunnen voeden. Idrissa wist dat hij niet lang op de zak van zijn zus zou kunnen blijven teren en hij ging weer op zoek naar werk. Op een zondag, in de kerk onder aan de heuvel, vertelde hij in een preek wat hij had gedaan toen hij in het getto zat en deed hij boete voor zijn zonden. Na de kerkdienst kwam er een meisje naar hem toe. Ze stelde zichzelf voor als Hawa. Ze bewonderde hem om zijn eerlijkheid en ze vertelde hem dat ze verliefd op hem was. Ze leek hem vriendelijk, maar ze had niets bijzonders waar hij op zou kunnen vallen. Hij wilde haar afwijzen, maar toen bood ze aan zijn schoolgeld voor hem te betalen.

Hawa vertelde dat ze een klein stukje land van haar moeder had gekregen, dat ze kon verkopen als Idrissa beloofde met haar te trouwen. Hij hoorde zichzelf ja zeggen op haar voorstel. Hij wilde zo graag terug naar school dat hij er alles voor over had. Hawa was een aardig meisje, hij wist zeker dat hij vanzelf wel van haar zou gaan houden. Totdat ze daadwerkelijk zouden trouwen, wilde Hawa's moeder niet dat ze bij elkaar woonden. Idrissa mocht iedere dag naar hun huis komen om te eten, maar daarna moest hij terug naar huis. Dat vond hij geen probleem, want hij voelde nog steeds niets voor Hawa. Op deze manier was het voor hem een stuk makkelijker om hun relatie vol te houden.

Maar op een dag, toen hij vanuit school naar Hawa's huis ging om te eten, bleek haar moeder afgereisd te zijn naar Pujehun, een stad in het zuidoosten van het land. Hawa was alleen thuis met haar jongere broertje. Ze eiste dat Idrissa bij haar zou blijven om haar te beschermen. Hawa was pas 15 en woonde in een wijk met ontzettend veel ruige jongens. Verkrachtingen kwamen in die wijk wel vaker voor, daarom besloot hij bij haar te blijven. Hij sliep in de kleine woonkamer op een rieten mat op de grond. Maar midden in de nacht kwam Hawa naast hem liggen en verleidde hem.

Hawa bleek zwanger te zijn van die ene keer dat ze seks met elkaar hadden gehad. Ze vertelde hem het nieuws tijdens zijn examens. Hij wilde niet geloven dat het van hem was. Idrissa beschuldigde Hawa ervan met andere mannen naar bed te zijn geweest, waarop er grote ruzie tussen de families van Idrissa en Hawa ontstond. Omdat de stress hem te veel werd, pakte hij zijn spullen en trok tijdelijk bij Jim in, zodat hij zich kon concentreren op zijn examens. Hij slaagde, kantje boord. Hij vond werk in een elektronicawinkel en zag Hawa pas terug toen de baby geboren was.

Ze liep langs de winkel, met de baby op haar arm. Toen hij het kind zag, ging er een grote schok door hem heen. Het jongetje leek sprekend op hem. Hij liet zijn werk in de steek en rende Hawa achterna. Toen ze hem zag, probeerde ze snel in een taxi te stappen, maar hij wist haar tegen te houden. Hij wilde de baby goed kunnen bekijken, maar Hawa verborg zijn gezichtje tussen haar borsten.

'Het kind is niet van jou, Idrissa', zei ze bot.

'Ik geloof je niet', antwoordde hij. 'Hij lijkt sprekend op mij. Het is mijn kind, hè?'

Hawa trok haar ogen in spleetjes. 'Nee', siste ze. 'Het kind is niet van jou en laat ons nu met rust, voor ik de politie erbij haal.'

'Ja, laten we de politie erbij halen. Die zien zo dat het mijn zoon is. Je hebt het recht niet mijn kind bij me weg te houden.'

'Jouw kind? Volgens zijn geboortebewijs heet zijn vader Paul Kamara. Het is niet jouw kind.'

'Paul Kamara? Wie is dat? Dat geboortebewijs is vals. Ik ben de vader, dat kan zelfs een blinde zien.'

Maar Hawa gaf niet toe. Paul Kamara bleek een verre neef van Hawa te zijn die haar probeerde te helpen om Idrissa uit de buurt te houden. Hij woonde bij haar in huis en deed net alsof hij de vader was. Pas toen Idrissa Paul Kamara te lijf ging, trok de jongen zich terug. Door bemiddeling van de politie gaf Hawa uiteindelijk toe dat het kind van hem was. Hawa's moeder gaf Idrissa toestemming bij Hawa en hun zoon te komen wonen, op voorwaarde dat hij ervoor zou zorgen dat Hawa een beroepsopleiding kon volgen. Idrissa stemde toe. Hij zou zelf zijn plannen om naar de universiteit te gaan uitstellen, totdat Hawa klaar was met haar opleiding. Hij had er alles voor over om zijn zoon te zien opgroeien en een vader voor hem te zijn.

Getto

Jims hand geneest snel, maar hij houdt de grote prop
verband eromheen, zodat hij niet mee hoeft te doen aan de
proefwerkweek. Door het gedoe met Ysata kan hij zich niet
op zijn schoolwerk concentreren. Bovendien heeft hij nog
andere zorgen aan zijn hoofd. De Tuckers willen hem niet
meer helpen en over een paar weken moet hij het schoolgeld voor het nieuwe semester zien op te hoesten. Hij heeft
geen idee hoe hij aan het geld moet komen. Het geld dat hij
voor Pa Turay's horloge heeft gekregen, is bijna helemaal
opgegaan aan Ysata. En ook dat geld moet hij zien terug te
betalen. Hoe langer hij daarmee wacht, hoe groter de kans
dat Pa Turay er zelf een keer achter komt.
De dag na de proefwerkweek gaat hij pas weer naar school.
Een van hun klasgenoten had echter gezien hoe Jim zijn
eigen hand had opengesneden met het colaflesje en had het
aan Samuel verteld. Daarom is Samuel kwaad op Jim en
praten de twee niet meer met elkaar. Samuel wil zelfs niet
meer met hem oplopen. Op weg naar school, in zijn eentje,
wordt Jim klemgereden door een grote, zwarte fourwheel-
drive met geblindeerde ruiten. Twee kleerkasten springen
uit de auto en grijpen Jim vast. Hij wordt de auto in
gesleurd. De mannen nemen hem mee naar een verlaten

plek vlak bij de haven. Jim kan geen woord uitbrengen, hij is volkomen in shock. Hij denkt dat mevrouw Tucker er achter zit, om wat er is gebeurd met Ysata.

Ze zijn met z'n vieren. Ze zijn alle vier gekleed in een zwart kostuum en omdat ze een zwarte zonnebril dragen en een grote zwarte hoed kan hij hun gezichten niet goed zien. Hij zit ingeklemd tussen de twee gespierde mannen die hem de auto in gesleurd hebben. Op de bijrijdersstoel zit een tengere, kleine man. De man komt hem bekend voor, maar hij weet zo snel niet waarvan.

Als de auto tot stilstand komt, draait de man op de bijrijdersstoel zich naar hem om. 'Commander Jim', zegt hij. Zijn toon is dreigend.

Jim probeert door de zonnebril heen te kijken, maar de bril is te donker.

'Dat is lang geleden, Commander Jim', vervolgde de man. 'Ik kom je een waarschuwing brengen. Er zitten mensen achter je aan. Mensen die willen dat je leugens gaat vertellen bij het oorlogstribunaal. Ik waarschuw je maar één keer. Als je getuigt tegen de RUF-leiders, ben je zo goed als dood. Als je je niet goed weet te verstoppen, kom ik zelf je strot doorsnijden.

Jims hart gaat als een razende tekeer. Hij herkent de stem, maar hij kan niet helder nadenken. Hij probeert zichzelf onder controle te krijgen. Hij is bang, maar hij weet dat hij niets mag laten merken. Hij laat zich niet zo makkelijk intimideren. 'Ik heb niets met het oorlogstribunaal te maken', antwoordt hij brutaal.

'Ik heb je gewaarschuwd', zei de man. Hij sliste ontzettend.

'Snake!' zei Jim verrast. Die slissende manier van praten, het kon niet anders. Een van de wreedste commandanten

bij de Small Boys Unit van de RUF. Hij had de man altijd
een verschrikkelijke engerd gevonden en hij was vroeger
dan ook altijd uit zijn buurt gebleven. Nu, zonder wapens,
is de man nog altijd indrukwekkend. Hij weet dat Snake
geen genade kent en dat hij dus op zijn tellen moet passen.
Toch besluit hij een grote bek te geven. 'Dus je leeft nog',
zegt hij uitdagend. 'Ze hebben me verteld dat de Kamajors
je in duizend stukken hadden gesneden en opgegeten
hadden.'
Snake lacht hard, het klinkt bijna hysterisch. 'Ik, dood? Ik
ben onsterfelijk. Ik ga pas dood, als ik daar zin in heb. Ik
heb je gewaarschuwd, Commander Jim. Geen getuigenis,
geen geintjes. Als je iets flikt wat ik niet leuk vind, overleef
je het niet.'
'Ik heb je gehoord, ouwe', zegt Jim. 'En ik heb je al gezegd
dat ik niets met het oorlogstribunaal te maken heb.'
Een vuist knalt met een harde klap tegen zijn kaak. Het
duizelt voor zijn ogen. De bodyguard rechts van hem zet
een mes tegen zijn keel. Snake kijkt hem indringend aan.
'Eén woord, en je kop gaat eraf. Begrepen?'
Het mes staat zo strak op zijn keel, dat hij nauwelijks
antwoord kan geven. Als hij zachtjes 'ja' zegt, snijdt het
mes in zijn huid. Dan verdwijnt het mes en grijpt de
bodyguard hem bij zijn strot. Hij wordt de auto uitgesleurd
en op de grond gesmeten. Zijn voorhoofd schaaft open
tegen de korrelige steentjes in het zand. Beide bodyguards
staan nu naast hem. Een van hen haalt uit en schopt hem
hard in zijn ribben. De hak van een schoen belandt op zijn
achterhoofd. Ze blijven op hem intrappen, totdat hij bijna
het bewustzijn verliest. Dan rijdt de auto met piepende
banden achteruit. De bodyguards springen achterin,

waarop de auto het terrein afscheurt. De enorme stofwolk die de auto veroorzaakt, vult zijn neus en mond. Hij probeert op te staan, maar zijn ribben zijn zo pijnlijk dat hij er de kracht niet voor heeft.

Als hij zeker weet dat hij alleen is, laat hij zijn tranen de vrije loop. Zijn hele lichaam doet zeer en zijn schooluniform is totaal geruïneerd. Er rust een vloek op de school, vloekt hij in zichzelf. Hij probeert zichzelf moed in te spreken en zichzelf te dwingen sterk te zijn. Maar hij heeft te veel op zijn bord gehad. Hij weet niet meer hoe hij alles moet bolwerken. Het enige wat hij wil is naar school gaan, aan zijn toekomst werken, maar dat is hem kennelijk niet gegund. Anderen blijven het steeds voor hem verpesten. En hoe hard hij ook zijn best doet om uit de problemen te blijven, er is altijd wel iemand die hem in de nesten werkt. Hij is bang dat als hij weer niet naar school gaat, of als Samuel zijn uniform ziet, dat hij per direct het huis uit wordt getrapt.

Die vernedering gaat hij liever uit de weg. Hij weet zichzelf overeind te krijgen en zich naar het huis van Pa Turay te slepen. Daar pakt hij zijn spullen in, en vertrekt. Hij laat een briefje achter met de boodschap dat hij plotseling de stad uit moest om voor een zieke oom te gaan zorgen. Dezelfde leugen als die hij aan zijn bazin heeft verteld, hij kan de eerste paar dagen toch niet naar school. Zijn tas brengt hij terug naar zijn oude kamer, dan vertrekt hij naar het getto, in de hoop dat hij daar wat geld zal vinden.

Als hij het getto binnenloopt, trekt een misselijk gevoel door zijn maag. Het getto is niets veranderd sinds hij hier jaren geleden vertrok. In een doorgeroeste auto op het terrein ligt een jongen te slapen. Zijn eelterige en door en door smerige voeten steken door het raamgedeelte in het skelet.

'Mossel!' roept Jim, terwijl hij de jongen met een klap op zijn benen wakker maakt.

'Godverdomme, wie...?' roept de jongen geschrokken. Hij knippert met zijn ogen tegen het zonlicht. 'Commander Jim?' vraagt hij. 'Commander Jim, of droom ik?'

Jim lacht door zijn tanden, want zelfs ademen doet pijn. 'Mossel, lang geleden man. Volgens mij woon je nog steeds in dezelfde auto als toen.'

'Nee, dit is een nieuwe', antwoordt Mossel sarcastisch. Zelfde modelletje, zelfde bouwjaar, alleen een andere kleur.'

'Ah, gefeliciteerd', zegt Jim. 'Je had me een verhuisbericht moeten sturen.'

Mossel stapt uit het autowrak en omhelst Jim. 'Goed je te zien, Commander Jim. Zo te zien ben jij ook niet veel veranderd', zegt hij, terwijl hij Jims gehavende lichaam opneemt.

Jim raakt geïrriteerd door die opmerking, maar hij laat niets merken. Hij is allang geen gettojongetje meer en hij voelt zich tien keer beter dan jongens als Mossel. Hij ziet er alleen maar zo haveloos uit omdat hij net een afranseling heeft gekregen. Normaal gesproken doet hij zijn uiterste best om er goed uit te zien, en strijkt hij zelfs altijd zijn kleren, ook al zitten ze vol met gaten.

'Het lijkt wel reünieweek', zegt Mossel.

'Hoe bedoel je, "reünieweek"?' vraagt Jim.

'Van de gettojongens, er zijn twee goeie bekenden van je hier. Wacht', zegt Mossel.

'Charles! Hé! Roep die kleine 's voor me!' roept Mossel naar een jongen die bij de doorloop van een van de gebouwen staat.

Een paar minuten later komt een kleine jongen het gebouw uitgeslenterd. Jim herkent de jongen al voordat hij zijn gezicht kan zien. Zijn buddy bij de Kamajors. 'Short, Short!' roept hij enthousiast en loopt zo snel als hij kan op de jongen af. Zijn bijnaam is Short omdat hij zo klein is. Zodra Short hem herkent, komt er een grote glimlach op zijn gezicht. 'Commander Jim!' roept hij terug, en loopt met grote passen op Jim toe om hem te begroeten. Short slaat zijn armen om Jim heen en slaat hem gebroederlijk een paar keer op zijn rug. Jim stikt bijna van de pijn. Short laat hem geschrokken los. 'Ej, Jim', zegt hij. 'Wat is er aan de hand, man?'

'Gewoon een paar klappen gehad, niets bijzonders', antwoordt hij zo nonchalant mogelijk.

Short trekt hem aan zijn elleboog mee naar de andere kant van het gebouw, zodat niemand ze kan horen. 'Jíj hebt een paar klappen gehad?' vraagt hij ongelovig. 'Wat is er dan gebeurd? Daar ken ik jou niet voor, dat je je in elkaar laat timmeren.'

'Het is niks, joh', antwoordt Jim. 'Maar hoe is het met jou? Het is jaren geleden. Ik dacht dat je in de diamantmijnen zat.'

'Zat ik ook, maar het leven is te zwaar daar. Ik ben net vorige week teruggekomen naar Freetown. Ik hield het er niet meer uit.'

'Maar was het goed verdienen daar?' vraagt Jim.

'Nope, het is slavenarbeid. Er zit bijna geen diamant meer in de grond en je krijgt alleen een redelijk bedrag als je de wat grotere diamanten vindt. Vind je niks, dan verdien je ook niks. Dat is geen leven, daarom ben ik teruggekomen.'

'En nu, hoe kom je nu aan geld? Woon je weer hier in het getto?'

Short haalt zijn schouders op. 'Voorlopig, tot ik wat beters vind. Maar vertel op, wie zit er achter die gekneusde ribben?' Jim aarzelt even, maar vertelt dan toch over zijn ontmoeting met Snake.

Short legt hem uit wat erachter zit. 'Ze zijn begonnen met de oorlogstribunalen tegen alle grote leiders van de gewapende groeperingen. Iedereen is bang voor zijn eigen hachje. Ze vervolgen de mensen die ons, de kinderen, hebben laten vechten. Daarom zijn ze waarschijnlijk naar je op zoek.'

'Voor mij hoeven ze niet bang te zijn', zegt Jim. 'Ik getuig tegen niemand. Misschien proberen ze ons op die manier gewoon in de gevangenis te krijgen, want wij vochten harder dan alle volwassenen bij elkaar.'

'Ja, dat zou best kunnen', antwoordt Short.

Achter hen klinkt plotseling een pistoolschot. Jim en Short duiken direct op de grond om dekking te zoeken. Dan klinkt er hard geschreeuw en tumult uit een van de gebouwen. Jim herkent een van de stemmen. Het is Idrissa. Hij springt snel op en rent naar het gebouw. Daar zit Idrissa op zijn knieën, met zijn hoofd naar de vloer gebogen en zijn handen in de lucht geheven. Voor hem staat een lange jongen met een pistool te zwaaien. Aan zijn ogen is duidelijk te zien dat hij stijf staat van de drugs. Jim probeert de jongen te kalmeren maar die is door het dolle heen. Zodra Jim begint te praten, richt de jongen het pistool op hem en schiet. Hij mist Jim op een paar centimeter na. Jim geeft met zijn ogen een seintje naar Short, die schuin naast hem in de deuropening staat. Short moet de jongen afleiden, zodat Idrissa kan opstaan. Short rent de deur-opening uit en laat de deur met een klap dichtvallen.

De jongen schiet op de deur. Idrissa staat snel op en gooit een leeg bierflesje naar de andere hoek van de kamer. De jongen schiet in de richting van het rinkelende glas. Dan wil de jongen weer op Jim schieten, maar het pistool weigert. Klik, klik, klik, de echo van het klikkende geluid van de lege magazijnkamers vult de ruimte. Samen overmeesteren Jim en Idrissa hem en binden hem vast aan een buis aan de muur.

'Ik krijg geld van 'm!' schreeuwt de jongen. 'Geef me mijn geld, ik wil mijn geld!'

'Geld? Voor wat?' vraagt Jim.

'Voor dát ding', roept de jongen en geeft een knikje naar het pistool dat voor Idrissa op de vloer ligt.

'Wil je een pistool kopen?' vraagt Jim verbaasd aan Idrissa. Short komt weer binnenlopen.

'Nee, ik...' stamelt Idrissa.

'Poffen', roept de jongen. 'Hij wil het pistool poffen, maar dat gaat niet door. Ik heb het ding speciaal voor hem gekocht. Ik wil geld zien.'

Jim schudt afkeurend zijn hoofd. 'Wat moet je met een pistool?' vraagt hij aan Idrissa. 'Wat zijn dat voor zaken waar jij in zit?'

'Hij wil meedoen aan een gewapende overval', komt Short tussenbeide. 'Een paar jongens hebben een overval gepleegd op een groepje Zuid-Afrikaanse diamanthandelaren. Ik hoorde ze vanmorgen overleggen.'

Jim schudt afkeurend zijn hoofd. 'Ik dacht dat je op het rechte pad was, Idrissa. En ik had je nog wel om hulp willen vragen. Maar ik moet je bloedgeld niet.'

'Maar ik heb nog helemaal niks gedaan!' protesteert Idrissa.

'Dat je er alleen al over nadenkt...' zegt Jim. 'Het criminele pad is geen oplossing.'

'Moet je hem horen', zegt Idrissa verontwaardigd. 'Dat horloge van Pa Turay is zeker normale handel?'

'Maar dat geef ik weer terug', antwoordt Jim. 'Ik heb het alleen maar geleend.'

'Ik ben benieuwd of Pa Turay iets van dat lenen weet.' Idrissa lacht triomfantelijk.

'Bemoei je met je eigen zaken', zegt Jim kwaad.

'Ja, dat wil ik wel', antwoordt Idrissa. 'Maar je zit met je neus zo diep in de mijne dat ik geen andere keuze heb.'

'Guys', zegt Short zenuwachtig. 'Laten we effe ergens een biertje pakken. Een beetje afkoelen. Dit loopt anders fout af.'

Jim en Idrissa kijken elkaar uitdagend in de ogen, maar Idrissa zwicht uiteindelijk. 'Oké, oké, een biertje', zegt hij en steekt zijn hand uit naar Jim.

'Ik ga liever een blowtje roken.' Jim negeert Idrissa's uitgestoken hand en loopt naar de deur. 'Het is dat ik heel benieuwd ben waarom je weer terug wil naar het rebellen-leventje', zegt hij over zijn schouder.

Ze laten de jongen vastgebonden zitten en verlaten de kamer. Short heeft wat geld, waar hij marihuana en vloeitjes mee koopt. Met z'n drieën gaan ze naar de haven om te roken. Idrissa vertelt over zijn problemen met Hawa. Zijn vriendin heeft een rijke vent aan de haak geslagen en zolang hij geen alimentatie voor Andy betaalt, heeft ze hem verboden zijn zoon te zien. Idrissa had de overval willen plegen om genoeg geld bij elkaar te kunnen schrapen om de alimentatie te kunnen betalen. Hij had Andy willen ontvoeren, zodat niemand anders de vader voor zijn zoon zou kunnen spelen.

Hij vertelt dat hij Hawa's nieuwe vriend heeft geobserveerd en tot twee keer toe heeft gezien dat hij Andy met een stok en suikerriet mishandelde. Idrissa wil zijn zoon beschermen tegen de man, en dit was de enige manier die hij kon bedenken. Alle drie blijken ze in grote geld-problemen te zitten en geen van hen weet hoe ze daar uit moeten komen. Een gewapende overval zou ze alle drie in één keer uit de problemen halen. Maar Jim stemt tegen. 'Dat is verleden tijd', zegt hij resoluut. 'Ik wil iets bereiken in mijn leven. Als we gepakt worden, rotten we voorgoed weg in de gevangenis. Het is niet meer zoals in de oorlog, dat we overal ongestraft mee wegkomen. En bovendien ziet God alles. Ik ga niet naar de hel. En daarbij, God wil ons hier gewoon mee testen, om te zien hoe sterk we zijn. Hij zal ons wel helpen als we sterk genoeg zijn.'

Idrissa knikt. 'Ik ben al heel lang niet meer naar de kerk geweest', zegt hij.

'Waarom niet?' vraagt Jim.

'Ik kan me er niet toe zetten. Ik schaam me voor God, mijn leven is één grote puinbak', antwoordt Idrissa.

'Je moet altijd naar de kerk blijven gaan, ander verlies je je geloof', zegt Jim.

'Jij met je God en je kerk', zegt Short geërgerd. 'Denk je nog steeds dat dat bidden ergens goed voor is? We zitten al in de hel man, erger dan dit kan het echt niet worden.'

'Ja, dat denk ik ook', zucht Idrissa. 'Ik heb het echt geprobeerd, maar het leven is gewoon te zwaar. Wat ik ook probeer, het loopt uiteindelijk toch allemaal op ellende uit.'

'Ja, voor mij ook', zegt Jim. 'Maar ik geef het niet op. Ik zie het als straf. Als we maar lang genoeg volhouden, beloont God ons heus wel op een dag.'

'Ik geloof er niet meer in', zegt Short. Hij zet de joint aan zijn lippen en neemt een lange hijs. 'Hoe lang zitten we nu al in deze ellende? Bijna zes jaar. Het is nu bijna zes jaar geleden dat we met z'n allen in het tehuis zaten, en er is nog steeds niets veranderd, het lijkt alleen maar slechter te worden.'

Idrissa knikt instemmend. 'Zelfs in de oorlog was het leven niet zo moeilijk als nu. We hadden te eten, te drinken en alles wat we wilden hebben. Nu weet ik vaak niet eens hoe ik aan eten moet komen.'

'Je hebt gelijk', zegt Short. Hij geeft de joint door aan Jim. 'Wisten jullie trouwens dat ze jongens zoeken om in Ivoorkust te gaan vechten? De rebellen daar betalen iets van 1500 euro voor Sierra Leoonse krijgers.'

'Ik ga nooit meer vechten', antwoordt Idrissa. 'Ook al bieden ze me een miljoen.'

'Ik denk erover het te doen', zegt Short. 'Dat is echt heel veel geld, 1500 euro, en als ik eenmaal daar ben, maak ik zoveel buit dat ik een universitaire opleiding kan betalen.'

'Dat is het niet waard!' zegt Jim op waarschuwende toon. 'Je belandt in de hel. En bovendien, dat sparen gaat je nooit lukken...' voegt hij er snel aan toe, als hij ziet dat hij geen indruk op Short maakt. 'Hoeveel heb je overgehouden aan de oorlog? Man, al het geld gaat in drank en drugs zitten.'

'Jim heeft gelijk', zegt Idrissa. 'En zou je dat nu echt nog kunnen, constant vechten?' vraagt hij aan Short. 'Toen waren we klein en wisten we niet beter. Nu zijn we aan de vrede gewend. Als je het verschil kent, is het echt niet makkelijk om weer constant je leven in gevaar te brengen.'

Ze zwijgen alle drie. De joint wordt doorgegeven. Het begint te schemeren. In de verte verstommen de stadsgeluiden langzaam. Het is etenstijd, maar geen van hen heeft geld om een maaltijd te kopen of een thuis om naar op weg te gaan.

'Waarom zoek je geen baan?' vraagt Jim aan Idrissa.

'Natuurlijk probeer ik werk te vinden', antwoordt Idrissa. 'Maar niemand wil me aannemen omdat ik in de oorlog heb gevochten.'

'Dat hoef je toch niet te vertellen?' vraagt Short.

'Dat doe ik ook niet, maar het lijkt wel alsof het op mijn voorhoofd geschreven staat. Ik heb een paar banen gehad, maar zodra ze erachter kwamen dat ik kindsoldaat was geweest, stond ik zo weer op straat.'

'Klote man', zegt Short. 'Waarom heeft je vrouw je er eigenlijk uitgegooid?'

Idrissa haalt zijn schouders op. 'Zoveel dingen. Ik werd ontslagen, ik dronk, ik ging naar de hoeren. Dat pikte ze niet.'

'Dan moet je haar smeken, bewijzen dat het je spijt', zegt Jim. 'Ze neemt je heus wel terug. Die rijke mannen zijn alleen op seks uit, dat is na een paar weken wel voorbij. Dan is zij niet meer interessant en gaat hij op zoek naar het volgende slachtoffer.'

'Misschien heb je wel gelijk', antwoordt Idrissa. 'Maar na alles wat er gebeurd is, weet ik eigenlijk niet zo zeker of ik haar nog wel terug wil.'

Jim knikt. 'Kan ik me wel voorstellen, ja, maar je hebt geen andere keus. Als je je zoon terug wil, zul je in het stof moeten kruipen. Als je eenmaal alles goed voor elkaar hebt, kun je haar verlaten.'

Idrissa geeft geen antwoord. Het blijft lange tijd stil. Dan staat Idrissa op. 'Ik ga naar Hawa', zegt hij. 'Ik kom jullie opzoeken. Of laten we afspreken. Volgende week. Zelfde dag, zelfde tijd, zelfde plek.'

Jim en Short gaan akkoord, en Idrissa verdwijnt.

Jim is tevreden met Idrissa's beslissing. 'Hoe zit het eigenlijk met je vader?' vraagt hij aan Short.

Short maakt een klakgeluid met zijn tong. 'Morsdood heb ik begrepen. Tijdens de oorlog moet het gebeurd zijn. Bij een gevecht met de RUF.'

De vader van Short was een belangrijke commandant bij de Kamajors, maar hij was ook een prominent figuur in zijn dorp geweest. Als Shorts vader nog geleefd had, zat de jongen nu niet in het getto.

'En de rest van je familie?' vraagt Jim.

'Die hebben me het dorp uitgegooid omdat ze bang voor me zijn', antwoordt Short.

'Bang? Waarvoor?'

'Omdat ik Kamajor was.'

'Maar het was je eigen familie die je dwong om je aan te sluiten bij de Kamajors. En nu zijn ze daar ineens kwaad om?'

'Niet kwaad, báng zei ik', zegt Short. 'Ze zeggen dat ik te gevaarlijk en te gewelddadig ben. Ze denken dat ik nog steeds dezelfde ben als in de oorlog. Dat ik niet veranderd ben. Ze kennen me als de Gekke Schutter, mijn bijnaam toen...'

'Ja, jij schoot echt op álles wat bewoog', zegt Jim lachend. 'Met jou moest je echt niet fucken. Zelfs ik was bang voor je als je dronken met je AK-47 rondliep. Gekke Schutter, die bijnaam klopte precies.'

Short lacht trots. 'Oh man, de oorlog', zegt hij hoofd-schuddend. 'Ik was echt gek op schieten. Alleen het geluid al... mijn hart kon tekeergaan als ik geweerschoten hoorde. Dat gaf me gewoon zin om te vechten.'

'Ja man, daar steeg je adrenalinepeil pas van! Beter dan welke drugs ook', antwoordt Jim.

'Maar ik verlang er echt niet naar terug', zucht Short. Hij gooit een paar kiezelsteentjes in het water.

'Maar net zei je nog dat je naar Ivoorkust wilde om te gaan vechten?' vraagt Jim.

'Ik weet gewoon geen andere oplossing', antwoordt Short. 'Dan ben ik wel in één klap van mijn geldzorgen af. En ik weet dat ik er goed in ben, in vechten. Dus waarom niet? In dit leven ben ik toch zo goed als dood. Ik droom er vaak over, dat ik op een dag gewoon doodval van de honger. Daar wil ik gewoon van af zijn.'

'Ik weet precies wat je bedoelt', knikt Jim instemmend. 'Dat heb ik ook heel vaak. Of dat ik ziek word, iets heel simpels, en dan doodga omdat ik geen medicijnen kan betalen. Dat is echt geen leven, maar ja...'

'Weet je, ik kan heel goed begrijpen waarom Idrissa een overval wil plegen. De criminaliteit is gewoon veel makkelijker om geld te verdienen.'

'Ja', geeft Jim toe. 'Maar dat is ook geen leven. Dat hebben we al geprobeerd, het was nog erger dan oorlog.'

'Misschien', zegt Short.

Jim wil antwoorden, maar dan ziet hij twee auto's met grote snelheid het terrein oprijden. 'Snel!' roept hij tegen Short. 'Maak dat je wegkomt!' Zelf rent hij snel naar de autowrakken en vuilnisbergen om zich te verstoppen. Hij verschuilt zich achter een stapel verroeste autowielen.

Short rent regelrecht op de naderende auto's af. De auto's komen met piepende banden, vlak voor hem tot stilstand.

Vijf mannen stappen uit en omsingelen hem.

'Godverdomme, shit, fuck!' vloekt Jim hardop. Hij knalt al uit elkaar van de pijn van die eerste ontmoeting met dat soort mannen. En nu moet hij Short gaan helpen, en nog meer klappen verduren. Maar hij kan Short moeilijk laten barsten. Strompelend loopt hij op het groepje mannen af. Als hij dichterbij komt, herkent hij een aantal van hen. Kamajors.

'Wat moet dat?' roept hij van een afstand om hun aandacht te trekken. 'Musa? Musa, ben jij dat?' vraagt hij verbaasd als hij de bodyguard van de Kamajorleider herkent.

Enthousiast begroet hij de mannen die hij nog kent van de oorlog. 'Hoe hebben jullie ons gevonden?' vraagt hij aan Musa, terwijl ze elkaar hartelijk de hand schudden.

'We zijn al een hele dag naar jullie op zoek', zegt een oude, kleine man.

Jim herkent hem pas als hij zijn zonnebril afzet. Het is Pa Saidu, een van de administratieve officieren van het Kamajorleger.

'We hebben jullie ergens voor nodig', zegt hij. 'Jullie, en nog een paar jongens van jullie oude kliek. Ze gaan onze baas vervolgen voor het oorlogstribunaal, jullie moeten hem helpen.'

'Vervolgen?' vraagt Jim.

'Voor het oorlogstribunaal, het speciale gerechtshof. Hij krijgt een proces vanwege oorlogsmisdaden. Jullie moeten een getuigenis afleggen dat hij onschuldig is.'

Short kijkt naar de grond. Hij heeft niemand begroet en hij heeft nog geen vraag gesteld. Jim stoort zich aan zijn houding, maar hij besluit Short later te vragen naar de reden. 'Getuigen? Wat moeten we vertellen dan?' vraagt hij aan Pa Saidu.

'Dat jullie nooit gevochten hebben. Dat jullie alleen maar bij de Kamajors waren omdat we jullie beschermden', antwoordt hij.

'Onmogelijk!' roept Short uit.

Jim geeft Short een harde por. Hij wil niet dat Short de mannen kwaad maakt. 'Hoe gaat dat helpen?' vraagt hij snel, voordat Short zijn mond nog een keer open kan doen.

'Ze willen hem opsluiten omdat jullie kleintjes met ons meevochten. Hij kan wel voor twintig jaar de bak indraaien, dat kunnen we niet laten gebeuren', legt Pa Saidu uit.

Er verschijnt een triomfantelijke glimlach op Shorts gezicht, alsof hij het wel ziet zitten dat de Kamajorleider de gevangenis ingaat. Dat maakt Jim razend. Toen het tehuis gesloten werd, na de oorlog, heeft hij een tijdlang bij de Kamajorleider gewoond. De man was als een vader voor hem geweest. Jim kwam op straat terecht toen de Kamajorleider gearresteerd werd, en toen is de ellende begonnen.

'Ik getuig voor hem!' zei Jim, zonder erbij na te denken. Hij vindt het gewoon zijn plicht om de man te helpen, om wat hij ooit voor Jim had gedaan.

'Jaja', mompelde Short, ter bevestiging dat ook hij zou getuigen.

De mannen stopten hun visitekaartje in hun handen, met adressen en telefoonnummers waar ze zich moesten melden. 'Kom morgen naar het speciale gerechtshof waar de oorlogstribunalen worden gehouden', zegt Pa Saidu, terwijl hij instapt in een van de auto's. 'O ja', zegt hij nog snel door het openstaande raampje. 'Jullie krijgen nieuwe kleren van ons, en honderd euro.' Dan rijden de auto's met een rotvaart weer weg.

Short stopt snel het kaartje in zijn broekzak zodat hij het niet kan verliezen.

'Wat ben jij van plan?' vraagt Jim hem uitdagend.

'Ik stop het adres gewoon netjes weg', antwoordt Short nonchalant.

'Waarom deed je zo raar?' Jim neemt Short scherp op.

'Ik deed niet raar. Ik ga gewoon niet doen alsof ik niet gevochten heb', zegt Short. 'Voor niemand, ook niet voor honderd euro. Ben je vergeten hoe ze ons gebruikt hebben? Ze stonden zelf veilig achteraan, terwijl ze ons, kinderen, op de vijand afstuurden. In het begin had ik niet eens een wapen. Ik heb ervoor gezorgd dat zij nog leven. En nu hebben zij huizen, auto's, een baan, geld... en ik? Ik heb iedere dag honger. Ik ga niemand vertellen dat ze me beschermden.'

Jim kijkt verbaasd naar Short. 'Maar ik beschermde je. Ik heb je altijd beschermd', zegt hij kwaad.

'Jim, ik ga er niet over in discussie. Ik getuig niet, punt. Ik ga ervandoor, ik zie je volgende week.' Short loopt weg zonder Jim nog een blik te gunnen.

Jim gaat in een autowrak te zitten en probeert te slapen, maar Shorts woorden blijven door zijn hoofd malen. Hij is kwaad dat Short niet wil getuigen, want hij is bang om alleen te gaan. Maar hij kan de honderd euro goed gebruiken en daarom besluit hij toch te gaan. Hij heeft veel aan de Kamajorleider te danken, dit is wel het minste wat hij voor de man kan doen.

Zonder de hulp van de Kamajorleider was hij nu waarschijnlijk in Ivoorkust geweest om te vechten, want het was de Kamajorleider die hem ervan wist te overtuigen het vechten op te geven. Het was de Kamajorleider die hem naar het tehuis had gebracht. Oké, op dat moment haatte hij de man erom, maar nu is hij hem er dankbaar voor. Toen ze hem naar het tehuis brachten, wilde hij alleen maar vechten. Hele dagen was hij op zoek naar mogelijkheden om te ontsnappen, zodat hij weer terug kon naar de frontlinie. De Kamajorleider kwam steeds langs om met hem te praten. En het was de Kamajorleider geweest die hem in contact bracht met Idrissa.

Idrissa was zijn mentor en zijn enige vriend in die tijd. Ze hadden samen een hoop uitgevreten waardoor het leven in het tehuis draaglijk was. Idrissa leerde hem van alles. Lezen, schrijven, rekenen, hij leerde hem Krio, de nationale taal van Sierra Leone, en zelfs een beetje Engels. Maar toen was hij nog niet klaar geweest om het vechten op te geven. Toen de tehuisjongens werden ingezet om de snelweg te verdedigen, kwamen ze Short tegen en toen ze terug naar het tehuis werden gestuurd, nam Jim Short met zich mee. Toen hij ontsnapte uit het tehuis, was het de Kamajorleider die naar hem op zoek ging en hem weer terugbracht naar het tehuis. Als dat niet was gebeurd, dan was hij nu nog steeds aan het vechten geweest, daar is hij van overtuigd. Het tehuis was gewoon een soort wachtruimte, waar ze elkaar dingen leerden en uit jatten gingen om het karige rantsoen aan te vullen. Toen het tehuis na een jaar dichtging, konden hij en Short nergens naartoe. De Kamajorleider nam ze op in zijn eigen huis en liet ze naar school gaan.

Pas toen Jim naar school ging, leerde hij de oorlog achter zich te laten. Hij was gek op leren en hij had er plezier in de hoogste cijfers van de klas te halen. Zolang hij met zijn neus in de boeken zat, dacht hij niet meer aan de oorlog. Het was een grote klap toen de politie kwam om de Kamajorleider te arresteren en Short en hij op straat terechtkwamen. Ze konden nergens onderdak vinden en uiteindelijk belandden ze samen in het getto. Wat ze ook probeerden, ze konden nergens werk vinden. Op een dag, toen ze al dagen achter elkaar niet gegeten hadden, beroofden ze een oude vrouw van haar handtas. De vrouw verzette zich hevig en begon te slaan en te schreeuwen, waarop Jim haar doodsloeg. Het was een afschuwelijke dag, de eerste keer dat hij broodnuchter iemand vermoordde. De herinnering kan hem nog steeds doen huiveren. Hoe de vrouw naar hem had gekeken. Het was toen dat hij besloot nooit meer iemand te vermoorden. Toen ze op weg naar huis een prekende pastoor tegenkwamen, liet hij zich de kerk in praten. Eigenlijk gewoon voor een gratis maaltijd, maar eenmaal in de kerk leerde hij God kennen. Door zijn geloof in God wist hij het getto te overleven en uiteindelijk ook beter onderdak en werk te vinden, zodat hij terug naar school kon.

Via de kerk leerde hij de Tuckers kennen. Een kinderloos stel dat hem wel een beetje wilde helpen. Terwijl hij terugging naar school, vertrok Short naar de diamant-mijnen in de hoop daar rijkdom te zullen vinden. Short was niet langer geïnteresseerd geweest in school, en hij wilde al helemaal niet naar de kerk. Short wilde niet geloven dat God bestond, want volgens hem zou een echte God hem nooit hebben laten vechten.

Short was kwaad op de mensen die hem hadden gedwongen om te gaan vechten, toen al, want hij voelde zich misbruikt. Jim had het juist een eer gevonden om voor de Kamajors te

vechten en zo denkt hij er nog steeds over. De Kamajors
hadden Sierra Leone gered, bevrijd. De Kamajors waren
helden in Jims ogen. Hij vond dat Short blij mocht zijn dat de
RUF hem nooit te pakken had gekregen en hem hadden
gedwongen voor hen te vechten. Short had geluk gehad. Jim
begrijpt niet waarom Short niet gewoon trots kan zijn op zijn
verleden als Kamajor. Wat Short ook doet, hij zal in elk geval
getuigen voor de Kamajorleider, besluit Jim voor zichzelf.

De volgende ochtend staat hij in zijn beste kleren voor de
poort van het Speciale Gerechtshof. De omheining is zo
hoog dat hij het gebouw vanaf de straat niet kan zien. Overal
op de muur is dikke prikkeldraad aangebracht, en bij de
poort hangen camera's die de hele straat in de gaten
houden. Achter de poort staan twee gewapende mannen.
Zodra ze Jim in de gaten krijgen, houden ze hun geweer in
de aanslag.
'Hé jij, wat moet dat?' roept de langste bewaker naar hem.
'Dit is geen hangplek, opsodemieteren jij!' roept de andere
bewaker.
'Maar ik kom getuigen', protesteert Jim.
De bewakers beginnen te lachen. 'Je komt getuigen? In die
kleren? Je liegt!' roept de lange.
'Het is echt waar!' antwoordt Jim. 'Vraag het maar aan Pa
Saidu, hij heeft me gezegd vandaag te komen om te
getuigen voor de Kamajorleider.'
'Ik ken geen Pa Saidu. Oprotten, nu!' zegt de lange bewaker.
Jim druipt af en gaat aan de overkant van de straat staan,
zodat hij de boel goed in de gaten kan houden. Pa Saidu
arriveert pas drie uur later. Hij is in het gezelschap van een
advocaat en een paar hoge omes van de Kamajors. Jim

loopt snel naar het groepje mannen toe. Pa Saidu is blij hem te zien. Hij geeft Jim geld om nette, nieuwe kleren te kopen, zodat hij de volgende keer wel binnengelaten zal worden. Jim krijgt een pasje waarmee hij zich de volgende keer moet identificeren. Hij moet zich vanaf nu iedere dag komen melden om te zien of hij moet getuigen. Pa Saidu geeft hem een voorschot van vijftig euro. De andere helft krijgt hij nadat hij zijn getuigenis heeft gegeven.

Wekenlang gaat hij iedere dag trouw naar het Speciale Gerechtshof. Hij meldt zich aan de poort, maar hij krijgt iedere dag hetzelfde te horen: hij hoeft die dag niet te getuigen. Op een dag, als hij aan komt lopen, loopt hij Short tegen het lijf. Short is in het gezelschap van een groep westerse mannen, allen keurig gekleed in pak. De openbare aanklagers, hoort hij zeggen. Het team dat de oorlogsmisdadigers achter slot en grendel probeert te krijgen. Hij vraagt zich af wat Short met hen moet. Hij besluit zich te verstoppen en Short 's avonds op te gaan zoeken om hem aan de tand te voelen. Maar daar is het te laat voor, want Short heeft hem al gezien. Voordat Jim zich om kan draaien, staat er al een openbare aanklager naast hem. 'Jij bent Jim, toch?' vraagt de man.

Jim geeft geen antwoord en kijkt kwaad naar zijn vriend Short. De man grijpt zijn elleboog vast. 'Jim, we willen heel graag met je praten. We hebben je hulp dringend nodig', zegt hij. Jim kijkt de man recht in zijn ogen aan. Hij heeft een rustige, vriendelijke blik in zijn ogen. Zijn huid is zo wit en dun dat je er bijna doorheen kunt kijken. Maar de man heeft iets geruststellends, iets wat vertrouwen wekt bij Jim. Hij besluit te luisteren naar wat de man te zeggen heeft. Hij kijkt de man vragend aan.

'Jim, ik heb begrepen dat je gevochten hebt. Volgens je vriend vocht je zowel voor de RUF als voor de Kamajors. Wees niet bang, we weten dat het jouw schuld niet is. Jou valt niets te verwijten. Volgens je vriend was je pas zes toen de rebellen je meenamen. Dat is heel erg wat ze met je hebben gedaan, en het is verboden. Als je nog geen achttien bent, mag je niet meevechten, en dat wisten jouw leiders. Ze hebben je gebruikt en daar moeten ze voor gestraft worden.'

'Wie heeft me gebruikt?' vraagt Jim achterdochtig. 'Ik was de beste vechter in Sierra Leone, er is geen betere krijger dan ik. Niemand heeft me gebruikt, ik had mijn eigen soldaten. Ik was een commandant. Ik ben trots op wat ik heb gedaan.'

'Je bent trots?' vraagt de man ongelovig.

'Ja, trots', antwoordt Jim uitdagend. 'Alleen, ik wist niet... ik bedoel... ze probeerden het me wel te vertellen...van God... maar ik wilde er niet naar luisteren. Ik wist niet dat ik door doden in de hel kan komen. Nu weet ik dat toen ik bij de RUF vocht, dat dat fout was. Maar als je voor je recht vecht, dan is doden geoorloofd. Zo staat dat in de Bijbel. Bij de Kamajors vocht ik hard voor het recht van de mensen. Daar ben ik trots op, het was een grote eer om Kamajor te zijn.'

De man zucht diep en kijkt hoofdschuddend naar de grond. 'Het is verboden kinderen mee te laten vechten in oorlogen', zegt hij mismoedig.

'Verboden, door wie?' vraagt Jim. 'Zelfs in het nationale leger vochten kinderen mee. Jullie proberen gewoon dingen te verzinnen om de Kamajorleider op te kunnen sluiten.'

'We verzinnen niets', antwoordt de man. 'Het is verboden. Bijna alle landen ter wereld zijn het daarmee eens, dat het slecht is. De internationale gemeenschap heeft het verboden.'

'Nou, hier was het anders niet verboden', zegt Jim. 'De Kamajorleider was de minister van defensie. Een míníster! En zelfs de president deed eraan mee. De president gaf ons, de Kamajors, wapens, hij wist dat wij kinderen meevochten. Hij liet kinderen meevechten in het nationale leger. In Sierra Leone was het dus niet verboden. Of proberen jullie de president ook op te sluiten?' Jim kijkt de man vragend aan.

'De president?' vraagt de man verbaasd. 'Nee...'

'Dus jullie zijn gewoon op zoek naar redenen om de Kamajorleider te vervolgen. En ik weet precies waarom. Jullie zijn bang voor ons, de Kamajors. We hebben voor dit land gevochten, in opdracht van de president. Maar toen de oorlog afgelopen was, wilde de overheid van de Kamajors af. We waren te sterk, te machtig. Door onze leider op te sluiten, zorgen jullie ervoor dat de overheid ons kan negeren. Dat ze ons niet hoeven te geven wat ze ons beloofd hebben. Banen bij de politie en in het leger. Onderwijs. Invloed in de regering. Dat willen jullie ons gewoon niet geven.'

De man hapt naar adem. Hij zoekt naar woorden om Jim te overtuigen van zijn ongelijk. 'Maar Jim', zegt hij uitein- delijk. 'Ze lieten de kleine kinderen vechten, hoewel ze wisten dat het verkeerd was. Ze hebben jullie gebruikt.'

'Ze hebben ons niet gebruikt!' zegt Jim kwaad. 'Bijna iedereen was trots om een Kamajor te zijn en mee te mogen vechten. We waren blij dat we de kans kregen om ons volk te beschermen en onze dorpen en steden. Het leger kon ons niet beschermen tegen de rebellen. Als de burgers niet hun eigen leger hadden gebouwd, zoals de Kamajors, was iedereen nu dood geweest. Het was een grote eer om voor zo'n leger te vechten. Ik begrijp niet waarom Short zo kwaad is, hij is gewoon ondankbaar!'

'Short gaat voor ons getuigen vandaag', onderbreekt de man hem. 'Ik wil je graag uitnodigen om naar zijn getuigenis te komen luisteren.'

'Ik heb school', zegt Jim brutaal.

'Eén dagje kun je toch wel missen?' vraagt de man. 'Het is belangrijk dat je dit ziet.'

Jim laat zich overhalen. Hij wordt op de publieke tribune geplaatst, vanwaar hij uitzicht heeft over de hele rechtszaal. De Kamajorleider wordt binnengebracht. De eens zo machtige krijgsheer ziet er een stuk kleiner uit, haast verschrompeld. Zijn ogen staan triest en zijn huid is dof, alsof hij nooit frisse lucht krijgt. Jim voelt zich misselijk worden. Hij vindt het vreselijk de man zo te zien. Hij wil iets naar de Kamajorleider roepen, maar hij houdt zich in. De hele rechtszaal is akelig stil.

De rechters beginnen te praten, daarna vertelt de openbare aanklager – de man met wie hij net op straat heeft gepraat – een heel verhaal. Uiteindelijk komt Short binnen en gaat achter een microfoon zitten, in een klein houten hokje met een bankje erin. Short vertelt hoe hij bij de Kamajors terechtkwam. Dat zijn vader hem dwong toen hij twaalf jaar was, om mee te gaan vechten. Shorts familie weigerde de jongen nog langer in huis te houden en eten te geven. Hij had de taak zijn dorp te verdedigen tegen de rebellen, want als twaalfjarige was hij een man in hun ogen. Short had geweigerd en was de bush in gerend. Hij was bang geweest om te gaan vechten.

Short bleef drie dagen in de bush, maar moest terug naar zijn dorp vluchten toen de rebellen in aantocht waren. Zodra de dorpelingen hem zagen, namen ze hem gevangen en leverden hem uit aan de Kamajors. Hij kreeg de keuze: óf hij sloot zich bij hen aan, óf ze joegen hem het dorp uit, de bush in, waar de rebellen hem te pakken zouden krijgen. Short kreeg een groot kapmes in zijn handen gedrukt waarmee hij de rebellen moest opwachten. Maar toen de rebellen uiteindelijk kwamen, en er een grote chaos uitbrak, was hij te bang om mee te vechten. Hij probeerde zich weer te verstoppen, maar een van de rebellen had hem door en stak hem in zijn been. Zijn vader redde hem. Hij wist de rebel te overmeesteren en dwong Short toen de rebel te onthoofden. Omdat Short niet durfde, gaf een andere Kamajor hem een bladerpapje, waar hij wild van werd. Als Short vertelt hoe hij de rebel onthoofde, begint hij zachtjes te huilen.

Jim begint te koken van woede. Hij vindt Short een grote lafaard. Hij kende Short als een gevaarlijke strijder en hij had altijd veel respect voor de jongen. Maar nu hij dit verhaal hoort, is hij ontzettend teleurgesteld in Short. Toen hij zelf twaalf jaar was, had hij al zoveel gevechtservaring. Short had mazzel gehad dat hij toen pas mee hoefde te vechten. Jim vindt dat Short zich rot zou moeten schamen voor zijn gedrag. Alle jonge jongens in zijn regio vochten mee, Short was gewoon een verwend jochie geweest, die anderen voor zich had willen laten vechten.

Jim had altijd al een hekel gehad aan dat soort jongens. Jongens die dachten dat ze te goed waren om hun mensen te verdedigen. Die vonden dat anderen hun levens maar moesten wagen om het land te bevrijden van de rebellen.

Als iedereen er zo over had gedacht, dan hadden de rebellen Sierra Leone nu in hun greep gehad en werden er nog steeds iedere dag mensen verminkt en vermoord. Jim is zo kwaad dat hij niet langer naar Shorts getuigenis wil luisteren. Hij gaat naar buiten en wacht daar totdat de zitting voorbij is.

Als Pa Saidu naar buiten komt lopen, gaat hij snel naar de man toe. 'Pa Saidu!' roept hij nog voordat hij bij de man is.

'Oh, hé Jim', zegt Pa Saidu verrast. 'Ben jij hier ook om tegen de Kamajors te getuigen?' vraagt hij moedeloos.

'Nee!' zegt Jim strijdlustig. 'Ik wil dat jullie me vandaag laten getuigen voor Pa Norman, de Kamajorleider. Ik wil hem helpen. Nú, Vandáág.'

Pa Saidu begint te lachen. 'Zo werkt het systeem helaas niet', zegt hij. 'We moeten wachten totdat de rechter ons toestemming geeft, maar het zal beslist deze week zijn.'

De man graait in zijn broekzak en haalt er een briefje van honderd euro uit. 'Hier', zegt hij, terwijl hij Jim het geld in zijn handen drukt. 'Zodat je niet van gedachten verandert.'

'Nee meneer, natuurlijk verander ik niet van gedachten', antwoordt Jim. 'Ik kom me iedere dag melden, daar kunt u van op aan', belooft hij.

Met het geld gaat hij op weg naar de pandjesshop om het horloge van Pa Turay terug te kopen. De rente die de baas van de pandjesshop vraagt is onredelijk hoog, maar hij kan het net betalen. Als hij wat extra strijkwerk vindt, kan hij zelfs zijn schoolgeld nog betalen.

Hij wil het horloge graag ongezien terugleggen waar hij het gevonden heeft, dus gaat hij snel op weg naar het huis van de Turay's. De deur is op slot, maar hij heeft nog steeds een sleutel, dus glipt hij naar binnen. Als hij de deur van Pa Turay's kantoor opendoet, krijgt hij de schrik van zijn leven. Alle meubels zijn van de kant gehaald en alle kastladen en deuren staan open. Het kantoor is één grote bende van rondslingerende paperassen en prullen. Pa Turay zit vóór het dressoir op de grond. Jim wordt nerveus. Hij wil rechtsomkeert maken, maar Pa Turay heeft hem al in de gaten.

Achter een van de andere kasten komt Idrissa tevoorschijn. 'Jim!' zegt hij geschrokken.

Jim is bang dat Idrissa hem verraden heeft, maar hij besluit te doen alsof zijn neus bloedt.

'Jim!' zegt Pa Turay verstrooid. 'Wie heeft jou binnengelaten? Ik heb geen bel gehoord.'

'Ik heb meer dan tien keer geklopt, maar niemand deed open. Ik heb nog steeds de sleutel. Ik was bang dat er iets met u aan de hand was, daarom besloot ik binnen te komen', verzint hij snel.

'Oh, oké, dankjewel jongen', zegt Pa Turay.

Om nog meer vragen te ontwijken, richt Jim zich tot Idrissa. 'Wat doe jij hier?' vraagt hij Idrissa.

'Pa Turay is zijn horloge kwijt', antwoordt Idrissa. 'Ik help hem zoeken.' Idrissa seint met zijn wenkbrauwen, om Jim duidelijk te maken dat hij de man niets verteld heeft.

Jim loopt snel het kantoor binnen en speurt met zijn ogen de ruimte af. 'Wat vervelend', zegt hij. 'Laat me helpen zoeken. Hoe ziet het ding eruit?'

Terwijl Pa Turay het horloge beschrijft, duikt Jim achter een kast, haalt het horloge door een dikke laag stof en houdt het vervolgens in de lucht. 'Is dit 'm soms?' vraagt hij opgewonden. Hij is bloednerveus dat Pa Turay hem door zal hebben. Maar Pa Turay is zo blij het horloge terug te zien, dat hij zelfs geen argwaan krijgt. Hij bedankt Jim uitgebreid en vergeet hem zelfs te vragen waar hij het horloge precies gevonden heeft.

'Oké, geen dank', zegt Jim opgelaten. 'Ik ben blij dat ik kon helpen. Ik kwam alleen maar om de sleutels terug te brengen, mijn bazin heeft me nodig, dus ik heb besloten terug te gaan.' Hij overhandigt de sleutels aan Pa Turay.

'Oké, ik begrijp het', antwoordt de man. 'Maar ik hoop dat je geen vreemdeling zult zijn. Samuel is erg gesteld op je vriendschap.'

'Nee', zegt Jim. 'Ik zal regelmatig langskomen', belooft Jim. Ze schudden elkaar de hand en Jim loopt het kantoor uit.

'Wacht, ik laat je wel even uit', zegt Idrissa en loopt achter Jim aan. Als ze bij de voordeur staan, vertelt Idrissa hem dat hij nu voor Pa Turay werkt. Hij was naar Pa Turay toegegaan om om werk te vragen, en de man heeft hem aangenomen als assistent voor een onderzoek voor de universiteit.

Jim feliciteert hem en maakt zich dan uit de voeten. Hij wil zo snel mogelijk van het huis van Pa Turay vandaan. Hij weet dat hij ongelofelijk veel mazzel heeft gehad, maar hij heeft een torenhoog schuldgevoel. Hij is door het oog van de naald gekropen. Als hij dat geld voor de getuigenis niet vandaag had gekregen, was Pa Turay zijn horloge voorgoed kwijt geweest.

Hawa

Het werk voor Pa Turay is ingewikkeld, maar toch is Idrissa blij met de baan. Hij heeft nu een vast inkomen waarvan hij zijn gezin kan onderhouden. Nu hij geld heeft, kan hij Hawa verbieden 's avonds op stap te gaan. Op de dag dat hij zijn eerste voorschot kreeg, was hij met al zijn spullen naar Hawa's huis gegaan en was hij direct bij haar ingetrokken. Voor het werk heeft hij van Pa Turay een dure mobiele telefoon en een mp3-speler gekregen. Dat had indruk op Hawa gemaakt. Ze had zich de apparatuur direct toegeëigend, en hij had haar in de waan gelaten. Meiden houden nu eenmaal van dat soort dure spullen, bedacht Idrissa zich, en als hij op die manier Hawa's hart terug kon winnen, dan moest het maar zo.

Pa Turay neemt hem steeds mee op stap als hij mensen gaat interviewen. Idrissa moet de gesprekken opnemen en nadien thuis rapporten schrijven van de opnames. Als hij dat goed kan, leert Pa Turay hem hoe hij antwoorden moet analyseren en met elkaar moet vergelijken. Hij heeft nog nooit zulk verantwoordelijk werk gehad en hij is dan ook trots op zijn nieuwe positie. Pa Turay geeft hem zelfs wat geld om nette pakken te kopen en een aktetas. De hele buurt is nieuws-gierig naar zijn nieuwe baan en iedereen wil plotseling met hem bevriend zijn. Hij geniet van alle aandacht die hij krijgt. Hij is niet langer de slechte ex-kindsoldaat. Het is net alsof iedereen dat plotseling is vergeten.

Twee maanden lang gaat alles goed, maar dan beginnen zich problemen voor te doen. Pa Turay is niet helemaal tevreden over zijn werk, maar Idrissa weet hem ervan te overtuigen hem niet te ontslaan. Idrissa weet precies waar het aan ligt. Iedere avond heeft hij hevige ruzie met Hawa om de mp3-speler. Overdag neemt hij het ding mee om gesprekken op te nemen, maar telkens als hij thuiskomt, eist Hawa de mp3-speler direct op om muziek te kunnen beluisteren. Zij vindt dat de mp3-speler van haar is. Hij krijgt haar maar niet aan haar verstand gepeuterd dat hij de interviews op de mp3-speler moet uitwerken. Hij krijgt van haar steeds te weinig tijd om de interviews te beluisteren waardoor hij zijn werk steeds moet afraffelen.

Af en toe gaat hij naar zijn zus, of naar de bibliotheek, om daar rustig te kunnen werken. Maar iedere keer als hij laat thuiskomt, is Hawa 'm gesmeerd en komt ze pas laat in de nacht thuis. Het is een groot probleem, waar hij maar geen oplossing voor kan bedenken. Op een ochtend, als hij zich klaarmaakt om naar zijn werk te gaan, zijn de telefoon en de mp3-speler verdwenen. Hij zal dus bij Pa Turay met een goede smoes op de proppen moeten komen. Maar ook het laatje waarin hij zijn geld bewaart, is leeg. Er is geen stuiver in huis.

Niemand wil hem geld lenen, daarom gaat hij lopend op weg. Maar van zijn huis naar het kantoor van Pa Turay is het bijna drie uur stappen. Hij komt hoe dan ook in de problemen. De hele wandeling naar de stad is hij zenuwachtig. Pa Turay had voor vandaag een belangrijk interview ingepland. Hij verknalt

het onderzoek en dat zal Pa Turay hem niet in dank afnemen.
Dik tweeënhalf uur later komt hij bij het kantoor aan. Hij had
al vier uur geleden aanwezig moeten zijn.
Pa Turay ijsbeert door zijn kantoor. Zodra hij Idrissa ziet,
begint hij tegen hem uit te varen. 'Verdomme, Idrissa, waar
zat je? Ik had hier de minister van Financiën zitten. De man
heeft twee uur op je gewacht. Hij is kwaad weggegaan. Dat
interview kan ik nu wel vergeten. Je kunt maar beter een
goed excuus hebben.'
'Ja sorry, meneer Turay', antwoordt hij. 'Het spijt me echt,
maar ik ben vreselijk ziek.'
'Je ziet er anders niet ziek uit.' Pa Turay kijkt hem
argwanend aan. 'Je lult uit je nek. En als je ziek bent,
waarom heb je dan niet gewoon gebeld?'
'Mijn batterij was niet opgeladen. We hebben al in geen
dagen stroom gehad thuis. U kent het lichtsysteem hè. We
hebben haast nooit stroom.'
'Dit kantoor heeft altijd stroom en je bent hier iedere dag.
Dan had je beter moeten plannen. Ik ben ontzettend teleurgesteld in je', snauwt Pa Turay.
'Sorry...sorry', zegt Idrissa verslagen.
'En waarom kom je nu pas aankakken?' vraagt Pa Turay.
'Ik wilde snel naar het ziekenhuis, voor medicijnen, maar
het was zo druk...' liegt Idrissa.
'Je bent niet ziek', zegt Pa Turay. 'Ik geloof je niet, er is niets
aan je te zien.'
Idrissa zoekt koortsachtig naar een goed excuus. 'Het is een
geslachtsziekte, meneer', fluistert hij. 'Het brandt zo erg,
dat ik niet eens kan zitten.'
Pa Turay zucht geërgerd. 'Niet te geloven!' zegt hij kwaad.
'Níet te geloven!'

Idrissa buigt zijn hoofd naar de grond en doet net alsof hij zich vreselijk schaamt.

'Je moet je gulp onder controle zien te krijgen!' waarschuwt Pa Turay hem. 'Dit is de laatste keer dat ik dit pik. Ik geef je twee ziektedagen. Daarna zie ik je weer hier. Negen uur 's ochtends stipt, mét opgeladen telefoon.'

'Ja meneer, dank u wel meneer', antwoordt hij. Hij loopt snel het kantoor uit, zodat Pa Turay hem niet nog meer lastige vragen kan stellen. Hij gaat op weg naar huis om Hawa op te wachten.

Hawa komt pas om negen uur 's avonds thuis. Haar haar is mooi ingevlochten met nephaar en ze draagt een peperdure Afrikaanse jurk.

'Waar was je?' vraagt hij haar kwaad.

'Naar een begrafenis', zegt ze achteloos.

'Van wie?' Idrissa kan zijn woede nauwelijks onder controle houden.

'Een vriendin. Het is een grote shock. Haar man heeft haar doodgeslagen gisteren, omdat ze was vreemdgegaan...'

Idrissa laat haar niet uitpraten. 'Waar is de telefoon?' vraagt hij haar ongeduldig. 'En de mp3-speler? En mijn geld?'

Hawa glimlacht overdreven. 'Vind je mijn haar niet mooi? En mijn jurk?' Ze draait rondjes, zodat hij haar van alle kanten kan bewonderen. 'Iedereen bewonderde me vandaag! Echt iedereen. Alle meiden waren jaloers op me. Oh, ik was zó gelukkig!'

'Je was gelukkig?' vraagt Idrissa verbaasd. 'Je vriendin is dood, daar ben je "zo" geschokt over. Maar je bent "zo" gelukkig op haar begrafenis?'

'Hè Idrissa', zegt ze lachend. 'Jij begrijpt ook niets van vrouwen! Kleren maken een vrouw altíjd gelukkig...'

'Hoe kom je aan die kleren? En waar is de telefoon? En de mp3-speler? En mijn geld?'

'Die heb ik verkocht om dit te kopen!' zegt ze droog. 'Ik heb nog meer kleren gekocht, maar ze liggen bij de kleermaker, om ze precies op maat te maken.'

Idrissa kan zijn oren niet geloven. Hij kijkt haar met open mond aan.

'Oh, wacht', zegt ze. 'Ik heb nog wat geld over...' ze graait in haar tas en haalt er vijf euro uit.

Dat is alles wat nog over is, terwijl er bijna honderd euro in de la had gezeten. Zijn salaris was net betaald.

'Jezus, Hawa, dat meen je niet!' zegt hij geschrokken. 'Geef me de telefoon. Nu!'

'Ik zeg toch dat ik die verkocht heb?' antwoordt ze laconiek.

'Die dure telefoon? Dat ding is honderden euro's waard. Heb je van dat bedrag kleren gekocht?'

'Nééé!' zegt ze spottend. 'Ik heb ook mijn haar en mijn nagels laten doen. En ik heb de familie van mijn vriendin honderd euro gegeven, voor de begrafenis.'

Het wordt zwart voor zijn ogen. Ze haalt het bloed onder zijn nagels vandaan, maar hij grijpt zich vast aan de tafel om zijn woede te bedwingen. 'Hón-hónderd euro?' stottert hij.

'Ja, honderd euro. Ik ben een goed mens Idrissa. De familie was me ontzettend dankbaar. Ze hebben me de hemel in geprezen.'

Hawa heeft een trotse glimlach op haar gezicht.

'Honderd euro?' kan hij alleen maar geschokt herhalen.

Dat maakt Hawa kwaad. 'Ja, Idrissa, honderd euro. De hele buurt ziet je iedere dag in je pak verdwijnen. Je kunt echt niet van me verwachten dat ik een kleinigheidje geef. Je wilt toch niet dat iedereen over me kletst, of wel soms?'

Idrissa gaat verslagen zitten. Sierra Leonezen roddelen altijd over elkaar, en als je maar een klein beetje geld hebt, probeert iedereen je kaal te plukken. Maar hij had willen sparen om naar de universiteit te gaan. Nu is hij geheid zijn baan kwijt, en is hij weer terug bij af. Hij staat weer met lege handen. Geen hoop, geen toekomst. Hij mag allang blij zijn als Pa Turay hem niet laat arresteren wegens diefstal.

De volgende twee dagen loopt hij de getto's en pandjes-shops af, op zoek naar de telefoon en de mp3-speler, maar tevergeefs. Hij moet met lege handen naar zijn werk. Ten einde raad gaat hij 's ochtends vroeg eerst langs het getto en vraagt Short hem in elkaar te slaan. Met een gescheurde lip en kapotte kleren komt hij bij het kantoor aan. Hij rent Pa Turay's kantoortje binnen en roept hysterisch dat hij net is beroofd.

Pa Turay kijkt hem verveeld aan. 'Had je nou echt niets beters kunnen verzinnen?' vraagt de man hem.

Idrissa is zo verbaasd over de reactie dat hij even niet meer weet wat hij moet zeggen. Hij zoekt naar woorden, maar Pa Turay draait zich om en graait iets uit de tas die op zijn bureaustoel staat. Demonstratief legt hij de telefoon en de mp3-speler op het bureau. 'Wat heb je hier op te zeggen, Idrissa?' vraagt hij zuchtend.

'Wát? Hoe?' roept Idrissa geschrokken.

'Toen je zonder telefoon kwam opdagen, heb ik een vriend bij de politie ingeschakeld. Ik had al zo'n vermoeden dat je de spullen verpatst had. Dus mijn vriend is de getto's ingegaan. Je kent de politie, allemaal corrupt tuig. Ze kennen alle criminelen. Binnen een uur waren de telefoon en de mp3-speler terecht.'

Idrissa voelt de grond onder zijn voeten verdwijnen. Hij kan geen woord uitbrengen.

'Je bent ontslagen, Idrissa', zegt Pa Turay. 'Per direct.'

'Alstublieft, Pa Turay. Ik smeek u.' Idrissa begint te huilen. 'Het is mijn schuld niet, alstublieft, u moet me geloven! Hawa, mijn vrouw...'

Pa Turay slaat met zijn hand op tafel. 'Ontslagen!' herhaalt hij. 'Eruit, nu! Voordat ik de politie erbij haal!'

Idrissa rent het gebouw uit. Hij blijft rennen totdat hij de haven bereikt. Hij gaat op de grond liggen en begint onbedaarlijk te huilen. Hij schreeuwt hysterisch. Hij weet niet meer wat hij moet doen. Dan staat hij op, loopt naar de rand van de kade en overweegt te springen.

'Niet doen! Stop!' hoort hij achter zich. Het is Short. Achter Short staat een oude bekende van hem: Snake.

'Generaal', salueert Snake hem.

'Hou op met die onzin', zegt Idrissa bits. 'Ga lekker zonder mij legertje spelen. De oorlog is al heel lang geleden afgelopen.'

'Ligt eraan welke oorlog je bedoelt', antwoordt Snake. Zijn ogen fonkelen.

Idrissa kijkt hem niet-begrijpend aan.

'In Ivoorkust is een serieuze oorlog gaande, we hebben je nodig, generaal', zegt Snake.

Idrissa schudt zijn hoofd. 'Ik heb het vechten voorgoed opgegeven. Voor mij geen oorlog meer. Snake lacht spottend. 'Jouw hele bestaan is één grote oorlog. Denk je dat ik niet weet dat je leven een puinhoop is? Er komt niets van je terecht. Ik bied je 1500 euro, dan ben je in één klap gered.'

'Nooit', antwoordt Idrissa.

'Dries, kom op man, ik ga ook', zegt Short. 'We vechten samen, maken genoeg buit om naar de universiteit te gaan en komen dan weer terug naar Sierra Leone. Of beter nog, we gaan naar Ghana, de universiteit daar is veel beter.'

'Nooit', zegt Idrissa nog een keer.

'Je bent gek', zegt Short.

'Ik wil dat mijn zoon trots op me kan zijn', zegt Idrissa. 'Ik wil dat mijn zoon een goed leven krijgt. Hoe kan hij ooit met opgeheven hoofd rondlopen als zijn vader een moordlustige rebel is?'

Maar Short en Snake zijn niet onder de indruk van zijn betoog. Ze blijven op hem inpraten, maar hij blijft weigeren. Na een uur geven ze het op en vertrekken. Idrissa kijkt de twee na. Hij weet zeker dat dit de laatste keer is dat hij Short in levenden lijve ziet. Hij is ervan overtuigd dat Short de oorlog in Ivoorkust niet zal overleven.

Idrissa besluit niet terug naar huis te gaan. Hij wil graag voor zijn zoon zorgen, maar niet op deze manier. Hawa richt hem te gronde. Als hij iets van zijn leven wil maken, zal hij ver bij Hawa uit de buurt moeten blijven. Als hij eenmaal alles op een rijtje heeft, zal hij veel beter voor zijn zoon kunnen zorgen. Een relatie met Hawa zal hij voorgoed uit zijn hoofd moeten zetten. Hij zal Hawa nooit tevreden kunnen stellen. Hij gaat naar een eethuisje en bestelt van zijn laatste geld een groot bord geitenvleessoep. De serveerster flirt met hem. Zijn hart veert op. Ze is mooi, en hij vindt haar op het eerste gezicht al fantastisch. Hij lacht verlegen naar haar, en zij lacht verleidelijk terug.

'Mijn dienst zit erop. Mag ik bij je komen zitten?' vraagt ze. Haar stem klinkt engelachtig.

'Natuurlijk', zegt hij. Hij heeft kippenvel over zijn hele lichaam.

Ze eten samen uit één bord. Bij de laatste hap is hij al hopeloos verliefd op haar. Maar dan krijgt hij een brok in de keel als hij zich realiseert dat hij haar niets te bieden heeft.

'Ik vind je leuk', zegt hij plompverloren. 'Maar het kan niets worden tussen ons. Ik ben een grote mislukkeling. Ik wil dat je ver bij me uit de buurt blijft.'

Het meisje begint te lachen. 'Ik heb niets van je nodig. Dit is mijn restaurant. Ik verdien genoeg om mezelf te onderhouden. Ik vind jou ook leuk. Het maakt me niets uit of je een mislukkeling bent.'

Idrissa lacht terug. 'Je bent het meisje van mijn dromen', zegt hij.

'Weet ik', antwoordt ze. Ze geeft hem een verleidelijke knipoog. 'En jij bent de man van mijn dromen. Ik heet Patricia.'

Voor Idrissa is het allemaal net iets te mooi om waar te zijn. Hij besluit het lot te tarten. 'Ik ben kindsoldaat', zegt hij uitdagend.

'Goh, dan zie je er wel oud uit voor je leeftijd', grapt het meisje.

'Huh?' vraagt hij onnozel.

'Dat je er niet als een kind uitziet, bedoel ik', zegt het meisje. 'En in welke oorlog vecht je dan, of zit je in het leger? Ben je met verlof?' De ogen van het meisje staan vrolijk.

Idrissa lacht naar haar. 'Ik ben voorgoed met verlof', antwoordt hij. 'Ik was kindsoldaat. Ik vocht in Liberia bij ULIMO, daarna bij de RUF en daarna bij de Kamajors.'

Het meisje haalt haar schouders op. 'Mijn broertje is ook ex-kindsoldaat', zegt ze. 'Ze haalden hem bij ons weg toen hij tien was. We zagen hem pas negen jaar later terug.'

Idrissa zucht.

'Ik ben heus niet bang voor je, hoor', zegt Patricia. 'Het is geen oorlog meer, en jij bent geen kindsoldaat meer. Kom, ga met me mee naar huis, dan zal ik een echte maaltijd voor je bereiden.'

Kamajors

De getuigenis van Short heeft Jims leven totaal op zijn kop
gezet. Hij had nooit gedacht dat Short zo verraderlijk kon
zijn. Ze hadden jaren samen gevochten en Jim had nooit
geweten dat Short zo'n lafaard kon zijn. 's Nachts droomt
hij over de oorlog, waardoor hij zich overdag niet op zijn
schoolwerk kan concentreren.

Op een avond, als hij voor het kleine altaartje in zijn kamer
neerknielt om te bidden, verschijnt de geest van zijn
moeder in de lucht. Ze draagt een helderwit gewaad en haar
kroeshaar is netjes ingevlochten. Jim krijgt tranen in zijn
ogen. Het is lang geleden dat hij haar voor het laatst heeft
gezien. Ze is één keer eerder aan hem verschenen, de avond
nadat hij de oude vrouw van haar tas had beroofd en hij
voor de eerste keer naar de kerk was geweest. Ze had hem
toen gezegd dat hij in God moest geloven en dat ze wilde
dat hij naar school ging.

Nu komt ze met een nieuwe boodschap. Ze wil dat hij de
oorlog achter zich laat en zich concentreert op zijn
schoolwerk. Hij belooft haar dat te zullen doen, maar als ze
is verdwenen realiseert hij zich dat hij die belofte zal
moeten verbreken. Hij heeft het geld voor de getuigenis al
opgemaakt en hij heeft geen idee wat ze met hem zullen

doen als hij gewoon niet komt opdagen en het geld niet terugbetaalt.

Jim vindt de hele situatie verwarrend en hij begrijpt niet waarom zijn moeder niet wil dat hij getuigt. Hij gaat op zijn mat op de grond liggen, rolt zich op en probeert in slaap te komen. De herinneringen blijven zich echter aan hem opdringen. Plotseling ziet hij zichzelf als zesjarige, in zijn geboortedorp. Hij is bezig hout te sprokkelen als de rebellen het dorp binnenvallen. Hij ziet het gezicht van zijn vader, zijn moeder en het gezicht van Commander Joe, de rebel die alle dorpelingen gevangen had genomen. Hij wrijft hard in zijn ogen om de beelden te laten stoppen, maar het heeft geen zin. Hij herinnert het zich allemaal weer.

De rebellen vielen zijn dorp binnen. Hij was toen zes en hij had geen idee wat een rebel was. Hij had de volwassenen over rebellen horen praten. Ze beweerden dat de rebellen een soort monsters waren, met staarten en met hoorntjes op hun hoofd. Toen de mensen riepen dat de rebellen in aantocht waren, was hij dan ook ontzettend nieuwsgierig naar die monsters. Zijn moeder wilde dat hij zich in de bush zou verstoppen, maar hij had zich los geworsteld uit zijn vaders greep en was naar het centrale plein gerend, waar de rebellen alle dorpelingen bij elkaar lieten komen. Het was een grote teleurstelling geweest om te zien dat de rebellen gewone mannen waren, al zagen ze er wel vreemd uit. Ze hadden ijzeren dingen in hun handen, waar ze de dorpelingen mee bedreigden. Ze droegen rare kleren met veel gaten en scheuren, zonnebrillen en petjes. Sommigen hadden een groene doek rond hun hoofd geknoopt en er waren jongens bij die alleen maar een groot kapmes droegen.

De mannen schreeuwden en scholden, wat Jim als kleine jongen bewonderde, maar hem ook bang maakte. Zijn vader en moeder waren hem achternagerend naar het plein. Ze werden allebei gevangengenomen door de rebellen. Een van de rebellen zei tegen zijn vader dat hij zich moest aansluiten bij de RUF. Zijn vader was toen net midden twintig, even oud als de meeste rebellen, en hij had een sterk lichaam door zijn werk op het land. Maar Jims vader weigerde. Hij zei dat hij boer was en niet geïnteresseerd was in oorlog. Commander Joe sneed daarop een vinger af bij Jims vader. Maar hoewel zijn vader het uitschreeuwde van de pijn, bleef hij toch weigeren zich bij de rebellen aan te sluiten.

Na een lange marteling waarbij ze zijn vader bleven slaan met stokken en suikerriet, hingen ze uiteindelijk een autoband om zijn nek en staken die in brand. Zijn vader danste en sprong om de autoband op te wippen, maar omdat zijn handen op zijn rug vastgebonden waren, kon hij zichzelf niet bevrijden. Jims vader verbrandde levend. Hij was er naar blijven kijken, totdat de rebellen zijn moeder en hem meesleepten naar de bush. Hij werd direct gescheiden van zijn moeder en meegenomen naar een trainingskamp, terwijl zijn moeder in het hoofdkamp bleef.

Veel tijd om over dingen na te denken kreeg hij niet. Hij werd direct aan het werk gezet: hout sprokkelen, water zoeken en zware dingen sjouwen. De volgende ochtend werd hij vroeg gewekt en moest hij samen met de andere kinderen rondjes rennen. Na een heleboel rondjes kregen ze te eten en mochten ze even met elkaar spelen. Ze deden een spelletje met stokken en steentjes, omdat ze geen balletjes hadden, zoals in het dorp. Jim won, samen met een meisje, Ysata. Toen het spelletje afgelopen was, moesten ze weer naar het trainingsveld om allerlei oefeningen te doen. Vooral het opdrukken was zwaar, maar omdat ze er een wedstrijd van maakten, hield hij het vol. Hij wilde hoe dan ook van Ysata winnen. Maar ze hielden het allebei precies even lang vol.

Iedere dag deden ze hetzelfde: rondjes rennen, spelen, opdrukken, kikkersprongen maken, over de grond schuiven op je ellebogen en leren sluipen. Soms won Ysata, soms won hij. Op een dag kregen ze zo'n ijzeren stok en moesten ze daar allerlei oefeningen mee doen. Marcheren, geweer in de aanslag houden, richten, spannen en in rust houden. Jim vond het ontzettend leuk, en hij was er goed in, beter dan Ysata. Ze leerden ook hoe ze het geweer moesten laden, schoonmaken en demonteren. De schietlessen waren het allerleukst. Alle kleine kinderen donderden om door de kracht van het geweer, ook Jim, maar het was hilarisch geweest. Hoe meer hij oefende, hoe beter hij werd.

Op een dag werd hij bij Commander Joe, de leider, geroepen. Commander Joe nam hem mee naar het hoofdkamp waar zijn moeder in het midden van een kring mensen op haar knieën op de grond zat. Toen ze Jim zag, begon ze hysterisch te huilen. Een soldaat ging achter haar staan en trok haar hard aan haar haren. Ze schreeuwde het uit. Haar lichaam zat onder de bloederige striemen en moddervegen. Haar borsten hingen bloot en in haar omslagdoek zaten grote scheuren. Jim keek geschrokken naar zijn moeder. Haar gezicht was betraand en haar neus hing vol met snot. 'Niet mijn zoon', snikte ze uitzinnig. 'Laat mijn zoon met rust!'

'Jim', zei Commander Joe kalm, 'je moeder is erg ongehoorzaam geweest, daarom straffen we haar.'

Jim luisterde, terwijl hij geconcentreerd naar zijn moeder bleef kijken.

'Jij bent onze beste rekruut, Jim', ging Commander Joe verder. 'En onze beste schutter, niet te vergeten.'

Jim glunderde van trots. Hij had hard gewerkt en hij was blij dat dat de grote baas opgevallen was. 'Dank u, meneer', antwoordde hij. 'Ik doe mijn uiterste best.'

'Dat weet ik, jongen', zei Commander Joe. 'Vandaag is je soldateneindexamen. Als je deze test goed aflegt, maak ik je in één keer sergeant!'

'Ik zal u niet teleurstellen', zei Jim.

'Mooi, goed om te horen. Nou...' zei de commandant en overhandigde Jim zijn geweer. 'Ik wil dat je op je moeder schiet', zei hij. Zijn stem klonk nog steeds kalm, maar zijn ogen schoten vuur.

Jims moeder begon te schreeuwen. 'Nee, Jim!' riep ze. 'Als je op me schiet, ga ik dood. Net als poes en papa. Dan kom ik nooit meer terug. Dan kan ik nooit meer voor je zorgen! Hoor je me, Jim?'

De menigte begon te mompelen. Sommige vrouwen hadden geschrokken hun hand voor hun mond geslagen.

De commandant probeerde het geweer in Jims handen te duwen.

'Nee, ik...' protesteerde hij zwakjes.

Maar de commandant wilde geen nee horen. 'Als jij het niet doet, doe ik het zelf', zei hij dreigend.

Jim bleef weigeren. Hij probeerde de commandant ervan te overtuigen zijn moeder te vergeven. Hij smeekte, ging aan de voeten van de man liggen, en beloofde dat hij er voortaan voor zou zorgen dat zijn moeder niet meer ongehoorzaam zou zijn.

Maar de commandant richtte en schoot. De kogel boorde zich in haar zij. Ze viel direct achterover. Jim rende op zijn moeder af en knielde bij haar neer. Hij probeerde haar overeind te trekken, maar ze was te zwaar. 'Stop! Stop!' schreeuwde hij tegen de commandant. 'Je hebt haar geraakt. Ze bloedt, alsjeblieft, stop!' Hij ging half op zijn moeder liggen om haar lichaam te beschermen.

'Jim, ik ga dood', fluisterde ze tegen hem. 'Ik zal altijd van je houden, Jim. Ook al ben ik er niet meer, ik zal altijd bij je zijn. Ik zal over je waken. Wees een goeie jongen. Geloof in God. Wees een goeie jongen. Geloof in God. Wees een goeie jongen!' Ze slaakte een diepe zucht.

Jim raakte in paniek. 'Alstublieft! Help mijn moeder, ze gaat dood!' schreeuwde hij tegen de commandant.

Maar de man laadde het geweer opnieuw door en richtte op Jims moeder. 'Je moeder is ongehoorzaam geweest, Jim', riep hij. 'Ze heeft geprobeerd te ontsnappen. Dit is haar straf. Ik hoop dat je het goed in je geheugen prent. Dit is wat er met je gebeurt als je probeert te ontsnappen.'

Commander Joe haalde de trekker nog een keer over en nog een keer. Hij raakte haar weer in haar zij. Zijn moeder gorgelde, spuwde wat bloed op en toen werd haar lichaam slap.

'Ze is dood', riep iemand uit de menigte. Jim kreeg een zwarte waas voor zijn ogen. Huilend rende hij op de commandant af en probeerde hem te schoppen. Hij trok aan het geweer, om het af te pakken en de man neer te schieten. Het mislukte.

Commander Joe trapte hem met één haal onderuit en zette zijn zware legerkist op zijn borstkas. 'Kalmeer, jochie!' zei hij bars. 'Anders schiet ik jou ook dood.'

'Schiet me maar dood!' gilde Jim. 'Schiet dan! Schiet dan!'
Commander Joe begon te lachen. 'Nog niet', zei hij. 'We
kunnen je veel te goed gebruiken.' Hij wenkte een van zijn
soldaten en liet Jim naar de strafkamer brengen. Jim werd
gemarteld totdat hij het bewustzijn verloor. Hij werd
wakker in de ziekenboeg. Een vrouw uit zijn dorp, gewoon
een boerin, speelde verpleegster. Ze vertelde hem dat hij
drie dagen had geslapen. Hij was misselijk en duizelig,
maar zodra de soldaten door hadden dat hij wakker was,
moest hij zijn bed uit en terug naar het trainingskamp. Hij
kreeg te eten, maar het voedsel smaakte raar en maakte
hem nog meer draaierig.
Ysata kwam naast hem zitten. Ze gedroeg zich vreemd
lacherig, maar ze was toch lief voor hem. Ze haalde water
voor hem en vertelde hem verhalen, over wat ze de
afgelopen dagen in het kamp gedaan hadden. Jim was blij
met haar gezelschap. De volgende ochtend gaven de
rebellen hem een injectie in zijn slaap. Zijn hart ging er
sneller van kloppen, en hij kreeg knallende hoofdpijn. Toen
hij helemaal hersteld was, kreeg hij een machete en moest
hij mee op patrouille. Hij had er moeite mee om normaal te
lopen, want de injecties die ze hem iedere ochtend gaven,
maakten hem wild.
Ze gingen een dorp in waar de rebellen iedereen op het
centrale plein probeerden te verzamelen. Jim kreeg de
opdracht het hele dorp rond te gaan om te zorgen dat
niemand zou ontsnappen. Ysata ging met hem mee. Met
hun machetes bedreigden ze de dorpsbewoners en
dwongen iedereen naar het centrale plein te gaan. Maar
heel veel mensen vluchtten snel hun huizen in en draaiden
hun deuren op slot. Samen met Ysata probeerde hij de

deuren open te trappen. Bij sommige lukte het, maar de meeste deuren waren gewoon te sterk. Een van de soldaten gaf hun de opdracht de luiken voor de ramen te forceren en brandende dingen naar binnen te gooien. Dat werkte beter. De meeste mensen kwamen snel naar buiten gerend. Maar sommige huizen vatten zó snel vlam, dat de mensen binnen gevangenzaten en levend verbrandden.

Iedere keer als ze een dorp aanvielen, namen ze nieuwe kinderen mee naar het trainingskamp. Jim ontfermde zich over ze, want hij maakte graag nieuwe vriendjes. Bovendien wilde hij ze beschermen, want wie niet goed zijn best deed, werd doodgeschoten. Op een dag, onderweg op patrouille, liepen ze in een hinderlaag van overheidssoldaten. De gevechten waren hevig. Hoewel het de eerste keer was dat Jim een echt gevecht meemaakte, wist hij precies wat hem te doen stond. In het trainingskamp hadden ze meer dan honderd keer geoefend. Hij riep de kinderen bijeen en met z'n allen stormden ze op de vijand af. Ze hielden hun machetes recht vooruit gestoken.

Toen de overheidssoldaten de groep kinderen zag aankomen, stopten ze direct met schieten. Jim leidde zijn groep dichter naar de vijand. Telkens als ze dichterbij kwamen, gingen de overheidssoldaten een stuk achteruit. Jim kende het gebied als zijn broekzak. Hij wilde de vijand in de richting van de rivier dwingen, zodat ze klem zaten. Hij stuurde Ysata met een groep naar de zijkant, zodat de soldaten nog maar één richting uit konden. Het plan slaagde. Zodra ze de rivier hadden bereikt, voegden de oudere rebellen zich bij hen en openden het vuur.

'Goed werk, Jim!' riep Commander Joe naar hem. Hij gooide een geweer naar Jim. 'Hier ben je wel aan toe!' zei hij, terwijl hij naast Jim kwam staan en hem een zak met kogels gaf. 'Schiet er zo veel mogelijk dood', zei hij en rende toen weer weg.

Jim laadde het geweer, knoopte de reservekogels aan zijn riem en speurde het slagveld af. Zodra hij Commander Joe zag, richtte hij zijn geweer en schoot de man in zijn rug. Toen de man door zijn knieën zakte, juichte Jim en raakte door het dolle heen. 'Dat was voor mijn moeder', mompelde hij zachtjes. Hij rende het slagveld op en opende het vuur op de vijand. Jim bleef schieten, totdat zijn kogels op waren. Ze hadden het gevecht gewonnen. De soldaten die niet meer durfden te vechten, gaven zich over en sloten zich bij de rebellen aan.

Na het incident met Commander Joe werd Jim in een andere eenheid geplaatst: de Small Boys Unit. Commander Joe had het overleefd. De andere leiders waren bang dat als ze Jim niet zouden overplaatsen, Commander Joe hem onmiddellijk zou doodschieten als hij uit de ziekenboeg kwam. Ysata en twee jongens mochten met hem mee.

In de Small Boys Unit leerde hij pas echt vechten. De groep ging ontzettend vaak naar de frontlinies en Jim werd commandant gemaakt omdat hij zo goed was in vechten. Hij had zijn eigen groepje soldaten waar hij leiding aan gaf tijdens de gevechten. Zijn groep werd steeds groter omdat hij bekendstond om zijn onoverwinnelijkheid, en omdat hij zijn soldaten altijd zo goed mogelijk beschermde.

's Avonds, als er geen gevechten waren, kreeg hij les in politiek en ideologie. De rebellen leerden hem dat ze vochten tegen de overheid, omdat de overheid vol met criminelen zat, die geld van de burgers inpikten, en het land expres honger lieten lijden. Volgens de rebellen waren er ooit goede scholen in het land geweest en goeie dokters. De overheid wilde graag dat de mensen arm zouden blijven, daarom zorgde ze ervoor dat niemand slim genoeg werd om het tegen de overheid op te nemen.

De rebellen vochten voor werk voor iedereen, gratis scholen en gratis onderwijs. Jim was het daar mee eens. Ook in zijn eigen dorp was iedereen altijd arm geweest en had hij de mensen vaak horen klagen dat het de schuld was van de regering. Hij vocht met hart en ziel mee om het volk van Sierra Leone een beter leven te geven. Ysata en hij werden onafscheidelijk. Ze waren een echt team samen en ze hielpen elkaar met alles.

Toen er een nieuwe commandant kwam in zijn eenheid, veranderde Ysata ineens. Ze was teruggetrokken en wilde niet meer dat Jim haar aanraakte. Hij probeerde haar over te halen om te vertellen wat er aan de hand was maar ze weigerde te praten. Totdat ze op een nacht in paniek naar zijn slaapplaats kwam. Ze was spiernaakt en haar gezicht zat vol met zwellingen. Nog geen twee tellen later stond er een groep volwassen rebellen naast hen. Een van hen trok Ysata aan haar haren naar zich toe. Ze wilden haar meenemen, maar Jim sprong op en probeerde ze tegen te houden.

'Jimmy, ze willen me verkrachten, met z'n zessen', jammerde Ysata.

'Verkrachten? Gewoon een beetje plezier maken. Kom op Ysata, doe niet zo moeilijk', zei de nieuwe commandant.

'Jimmy, help me!' smeekte ze. 'Ik wil niet...'

Jim pakte zijn geweer en richtte de loop op de commandant. Er werden direct van alle kanten geweren op hem gericht, maar hij liet zich niet intimideren. 'Laat Ysata met rust', zei hij tegen de commandant. 'Ysata is mijn vrouw', loog hij. 'Niemand heeft het recht haar te verkrachten.'

De commandant barstte in lachen uit. 'Wie denk je wel dat je bent, ettertje?' zei hij treiterend. 'Ysata is mĳn vrouw vannacht, en ik deel graag met mijn vrienden. Het is een hele eer voor Ysata, zoveel mannelijke aandacht.'

Een aantal van de volwassen rebellen begonnen te lachen, maar één rebel, een jongen die ze Blood Shed noemden, waarschuwde de commandant. 'Naar het schijnt is hij een van onze beste jongens', zei Blood Shed. 'Laten we hem niet irriteren. En bovendien pakken we hier elkaars vrouwen niet af, dat is onze regel. Ik heb genoeg andere meisjes voor je. En veel mooiere dan deze. Laat die twee toch met rust!'

De commandant keek kwaad, maar toch droop hij af. Die nacht vertelde Ysata hem dat ze heel vaak werd verkracht, bijna iedere nacht. Ze vertelde dat ze normaal gesproken niet moeilijk deed, maar dat ze nog nooit met zes mannen tegelijk naar bed was geweest, en dat ze daar bang voor was. En bovendien hadden de mannen haar constant geslagen, met hun vuisten, waardoor ze nog veel banger was geworden.

Jim beloofde haar dat hij haar voortaan zou beschermen en dat hij ervoor zou zorgen dat niemand haar nog zou verkrachten. Maar dat was niet zo eenvoudig. Hij sliep niet samen met Ysata, waardoor hij haar ook niet zo makkelijk kon beschermen. De nieuwe commandant stuurde Jim vaak zonder Ysata op pad, zodat hij zijn gang kon gaan met haar. Door de komst van de nieuwe commandant, veranderde Ysata volkomen. Ze werd wreed en deed opeens graag mee aan martelingen van gevangenen. Samen met de andere meisjes vormde ze een groep, waarmee ze mannen in de dorpen en steden gevangennam om ze te verkrachten. Jim was jaloers en begreep niets van Ysata's gedrag, maar hij liet haar begaan. Toen ze officieel zijn vriendinnetje werd, vroeg hij haar ermee op te houden, maar dat weigerde ze.

Op een dag, tijdens gevechten, viel hij in handen van de Kamajors. Hij moest bidden en smeken om hem in leven te laten, maar de Kamajors waren bang voor hem geweest. Ze wilden hem vermoorden omdat ze bang waren dat hij zou ontsnappen en vervolgens terug zou komen met de rebellen om wraak te nemen. Daarom bedacht hij een plan om het vertrouwen van de Kamajors te winnen. Hij beloofde hun dat hij de schuilplaats van de RUF aan hen zou verraden. Ze gaven hem een kans. Hij stelde voor een valstrik te bedenken, waardoor de Kamajors de rebellen gemakkelijk zouden kunnen overmeesteren. Hij zou naar de RUF-basis gaan met een grote lading drugs, alcohol en jonge meisjes, zodat de rebellen geen argwaan zouden krijgen over zijn lange afwezigheid. Als hij het kamp binnen zou gaan, zouden de Kamajors de omgeving omsingelen. Hij wist zeker dat de rebellen zo blij zouden zijn met de buit dat ze zich direct dronken zouden zuipen.
Het verliep precies zoals hij het gepland had. Na een uur waren de rebellen al zo dronken dat de Kamajors hen met gemak konden overmeesteren. Jim werd als een held beschouwd, maar toch vertrouwden de Kamajors hem niet genoeg om hem een wapen te geven. Hij ging mee naar de frontlinie, maar alleen om munitie en messen te dragen. Hoewel de Kamajors veel slechter waren in vechten dan de

RUF, wilden ze Jim niet mee laten vechten. Hoe langer hij moest toekijken hoe de volwassen Kamajors er een zootje van maakten, hoe ongeduriger hij werd. Hij wilde mee-vechten.

Hij begon de vechters te trainen en leerde hun hoe ze met een geweer moesten omgaan. Zijn training hielp. De eenheid werd steeds beter en daarom mocht Jim uiteindelijk aan de initiatie deelnemen om officieel Kamajor te worden. De dag van de initiatie nam hij maar een heel klein beetje cocaïne, zodat hij een helder hoofd zou hebben om alles goed in zich op te kunnen nemen. Het was voor hem een grote eer een Kamajor te mogen worden. De Kamajors hadden geheime, magische kennis waardoor ze speciale krachten konden krijgen. Zo waren er een heleboel Kamajors die kogelvrij waren. Kogels en messen konden hun lichaam niet door-boren. Sommige Kamajors konden zelfs commando's geven aan kogels, waardoor ze afbogen. Weer andere Kamajors hadden een soort verklikker, die ze waarschuwde voor hinderlagen. Jim wilde zo veel mogelijk speciale krachten hebben, zodat hij onoverwinnelijk zou zijn.

De initiatie begon met een hoop Islamitische preken waar hij niets van begreep. Daarna werden er allerlei regels uitgelegd. Ze mochten niet plunderen, geen vrouwen verkrachten, niet met elkaar op de vuist gaan, niet schieten zonder bevel, niet schelden, geen grote bek geven en dat soort dingen meer. Als ze de regels zouden overtreden, zouden ze hun magische bescherming verliezen. Dan waren er nog een hele hoop regels over eten, vrouwen en dingen die ze niet mochten aanraken. De regels en verboden waren zo talrijk dat Jim bang was dat hij ze nooit zou kunnen onthouden. Om zijn trouw aan de Kamajors te beloven, moest hij een eed afleggen. Hij moest zweren dat hij zijn leven zou offeren voor het Sierra Leoonse volk. Daarna kwamen de volwassen Kamajors de bush in, waar Jim samen met een groep andere jonge jongens werden geïnitieerd en werd de hele groep jongens in elkaar geslagen. Eerst probeerde hij nog terug te vechten, maar dat leidde er alleen maar toe dat iedereen zich op hem concentreerde en hij nog veel meer klappen moest incasseren. Pas toen hij niet meer op kon staan, hielden ze op met slaan en schoppen.

De initiator, een dunne magiër, zei de jongens op dreigende toon dat de regels vanaf dat moment golden. Wie de regels brak, kon ieder moment doodgaan, want ze zouden zware tests moeten ondergaan. Jim raakte in paniek, want door de afranseling en de pijn kon hij zich de helft van de regels al niet meer herinneren. Een gevangengenomen rebel werd de bush binnengebracht. Jim kreeg de opdracht de jongen te vermoorden. Jim aarzelde, want hij kende de jongen. Hij had hem zelf ooit getraind. Het was een van zijn eigen jongens. Maar hij wist dat hij niet kon weigeren. Als hij bij de Kamajors wilde horen, en wilde blijven leven, moest hij de jongen vermoorden.

Hij kreeg een bladermengsel te drinken waardoor hij meer moed kreeg. Met zijn ogen dicht stak hij op de jongen in. De Kamajors krijsten hysterisch. Hij hoorde iemand Koranteksten opdreunen. Alles ging in een waas voorbij. Toen de jongen dood op de grond lag, sneed de initiator hem open. Alle nieuwe rekruten moesten hun gezichten insmeren met het bloed. Vervolgens sneed de initiator het hart en de lever uit het lichaam, die werden gekookt en door de al klaarstaande maaltijd gemengd.

De volwassen Kamajors staken het lichaam van de dode jongen in brand. Terwijl het lichaam voor hun ogen verbrandde, werden de nieuwe rekruten vastgegrepen. De initiator bracht met een vlijmscherp mesje allemaal kleine sneetjes aan in hun armen, op hun rug en borstkas. Het brandde als de hel, maar hij liet zich niet kennen en gaf geen kik. Toen het lichaam van de jongen helemaal verbrand was, werd zijn as met het bladermengsel vermengd, en werd de pap in de wondjes gesmeerd. Nu schreeuwde Jim het uit van de pijn. Het brandde en prikte zo hevig, dat hij er knallende koppijn van kreeg.

De volgende dag kreeg hij vergif te eten om de bescherming te testen. Hij overleefde het, net als alle andere tests die ze in de dagen daarop op hem uitvoerden. Na een week van pijn lijden en allerlei andere beproevingen, kregen ze de ultieme test. Een soort eindexamen. Ze kregen een gewaad van een grove en ruwe stof, en een soort mutsje. Het stonk een uur in de wind, want ook het gewaad was met het bladermengsel behandeld. Alle jongens moesten op een rij gaan staan. De volwassen Kamajors kwamen voor hen staan en richtten hun geweren op de rekruten. De initiator liep de rij langs en gaf iedereen zijn eigen, speciale magische kracht.

Jim kreeg er twee: het vermogen heel ver vooruit te zien en de kracht om kogels de laten afbuigen. Hij glunderde van trots. Hij was de enige die twee magische krachten kreeg. Een van de andere jongens protesteerde ertegen. Hij was al veertien en Jim was pas tien. Daarom vond de jongen dat hij meer recht had op extra krachten dan Jim. De initiator negeerde de jongen en gaf de Kamajors het bevel het vuur te openen. Jim verstijfde. Toen de Kamajors de trekker overhaalden, riep hij in paniek allerlei commando's om de kogels af te weren. Hij stotterde en stuntelde, maar toch had het effect. Het leek wel alsof de kogels ineens in *slow motion* vlogen en in de lucht bleven hangen. Toen de kogels vlak bij zijn borst waren, bogen ze plotseling af naar de grond. Twee jongens in de rij zakten kermend in elkaar. Ze werden doorzeefd met kogels.

Toen het schieten ophield, kwam de initiator voor hen staan en waarschuwde de jongens dat ze niet langer beschermd zouden zijn als ze zich niet strikt aan de regels zouden houden. Jim was bang en trots tegelijk. Hij was vastbesloten zo hard te vechten dat hij nog veel meer speciale krachten zou kunnen verzamelen.

Net zoals hij bij de RUF had gedaan, verzamelde hij alle jonge jongens om zich heen en beschermde ze tijdens de gevechten. De meeste jongens waren bang om te vechten, daarom hielp hij ze. Hij was bij iedereen populair. Omdat hij de beste Kamajor in zijn eenheid was, kon hij alles doen wat hij maar wilde, zolang hij de regels maar niet overtrad. Maar ook de regels bleken uiteindelijk heel flexibel te zijn. Ze gingen vaak op plundertocht, en hoewel dat officieel verboden was, gebeurde er toch helemaal niets met de magische bescherming.

Bij de Kamajors had hij alles. Hij had geld, een duur horloge, meer dan genoeg te eten en hij had zelfs een eigen auto. Hij rookte jointjes uit tieneurobiljetten, en gebruikte de beste drugs. Hij was de leider van alle jonge Kamajors in zijn eenheid, maar zijn positie werd bedreigd toen Short bij zijn eenheid kwam. Short was ontzettend wild en bovendien was hij bijna niet te stoppen op het slagveld. Short draaide altijd helemaal door tijdens de gevechten, waardoor

iedereen bang voor hem was. Short was allesbehalve
aardig, maar toch wilde Jim graag vrienden met hem
worden. Wat Short ook maar wilde, Jim zorgde ervoor dat
hij het kreeg. Het duurde meer dan twee maanden voordat
ze vrienden waren, maar nadat ze eindelijk vriendschap
hadden gesloten, waren ze ook onafscheidelijk.
Jim verloor Short uit het oog bij zware gevechten in
Freetown, de hoofdstad. Jim werd na die gevechten naar het
tehuis gebracht, terwijl Short met de Kamajors naar het
zuiden van het land trok.

De verschijning van zijn moeder blijft hem dwarszitten.
Wat probeerde ze hem nu eigenlijk te vertellen? Hij moet de
oorlog achter zich laten, maar hoe? Hoe kan hij ooit
vergeten wat er allemaal gebeurd is tijdens de oorlog? Het
staat in zijn geheugen gebrand. Hij heeft zijn best gedaan,
zijn land bevrijd, waarom wil ze dat hij dat vergeet?
Uitgeput van de herinneringen valt hij uiteindelijk in slaap.
De volgende ochtend wordt hij veel te laat wakker. Voor het
huis komt een auto met piepende banden tot stilstand.
'Waar is dat rotjoch?' hoort hij een mannenstem roepen.
Hij is bang dat het Snake is met zijn bodyguards, daarom
probeert hij door de achterdeur te ontsnappen. Tevergeefs.
Nog voordat hij de achterdeur bereikt heeft, staan de
mannen al binnen en omsingelen hem. Het zijn de
Kamajors. 'Leer hem een lesje', zegt een van hen. Een vuist
landt hard in zijn gekneusde ribben. Iemand slaat hem op
zijn hoofd. 'Geen sporen, geen sporen!' roept iemand. Hij
krijgt van alle kanten klappen en schoppen. Hij laat zich op
de grond vallen en smeekt om genade. Twee mannen
trekken hem overeind. Hij kijkt recht in de ogen van Pa

Saidu, de man die hem gevraagd heeft voor de Kamajorleider te getuigen.

'Jij wilde 'm knijpen hè, etter!' zegt de man dreigend.

'Nee, ik... ik heb me gewoon verslapen', zegt Jim.

Pa Saidu trekt zijn ogen tot spleetjes en kijkt hem dwingend
aan. 'Kleed je aan, nu direct', zegt hij.

Zwijgend loopt Jim naar zijn kamer en trekt de nette kleren
aan die hij van Pa Saidu heeft gekregen voor de getuigenis.
In de rechtszaal moet hij een eed afleggen, dat hij de
waarheid zal vertellen. Aarzelend belooft hij niet te zullen
liegen. Pa Saidu heeft hem meer dan tien keer voorgekauwd
wat hij moet vertellen, en niets ervan is waar. God, vergeef
me voor wat ik ga doen, zegt hij in zichzelf. De advocaat van
Pa Norman, de Kamajorleider, stelt hem allerlei vragen, en
Jim geeft netjes alle antwoorden die hij uit zijn hoofd heeft
geleerd. De Kamajorleider kijkt hem dankbaar aan, als hij
vertelt dat hij nooit voor de Kamajors gevochten heeft. Hij
liegt dat de Kamajors hem juist hebben gered en
beschermd tegen de RUF. De advocaat is tevreden. Dan
staat de openbare aanklager, de grijze man, op en vraagt de
rechter toestemming om hem te mogen verhoren. De
rechter geeft een knikje.

'Jim', zegt de man op rustige toon. 'Ik wil het graag met je
hebben over onze ontmoeting hier voor de deur, van
gisteren. Herinner je je dat nog?'

'Natuurlijk herinner ik het me nog', antwoordt Jim.

'Eerst even dit... hoe oud ben je, Jim?' vraagt de man.

'Zeventien, meneer.'

'Zeventien', herhaalt de man. 'Dat is een leeftijd waarop je het
verschil wel weet tussen de waarheid en een leugen. Toch?'

'Natuurlijk weet ik dat', antwoordt Jim geërgerd.

De man fronst zijn wenkbrauwen. 'Dus je kent het verschil tussen een leugen en de waarheid. En je bent een religieus man, toch?' vraagt hij.

'Klopt', zegt Jim kortaf.

'Christen?'

'Ja.'

'Goed, je bent christen. Je kent het verschil tussen waarheid en leugen. Je hebt met je hand op de Bijbel voor God gezworen dat je de waarheid zult vertellen. Waarom lieg je dan toch?' vraagt de man.

'Ik lieg niet!' roept Jim verontwaardigd.

De rechter kijkt hem geschrokken aan vanwege zijn uitbarsting.

Hij wordt nerveus en het zweet breekt hem aan alle kanten uit, maar hij houdt voet bij stuk. 'Alles wat ik heb verteld, is waar', zegt hij zo kalm mogelijk.

'Maar heb je me bij onze ontmoeting gisteren niet verteld dat je de beste vechter was van het land? Je zei, en ik herhaal letterlijk', zegt hij, terwijl hij een papier van zijn bureau pakt en begint voor te lezen: '"Er is geen betere krijger dan ik. Niemand heeft me gebruikt, ik had mijn eigen soldaten. Ik was een commandant. Ik ben trots op wat ik heb gedaan..." en toen zei je ook nog: "Bij de Kamajors vocht ik hard voor het recht van de mensen. Daar ben ik trots op, het was een grote eer om Kamajor te worden." Zijn dat niet jouw woorden, Jim?'

Jim zwijgt.

De advocaat van de Kamajorleider springt op en roept: 'Ik protesteer!'

'Protest verworpen', zegt de rechter. 'Laat de getuige antwoord geven.'

Jim kijkt hulpeloos naar de Kamajorleider.

'Zijn dat niet jouw woorden, Jim?' herhaalt de openbare aanklager.

Jim ontkent.

'Oh, dat dacht ik al', zegt de man honend. 'Je stond dus gewoon op te scheppen! Dat had ik al gedacht, ja. Zo'n kleine jongen als jij kan nooit commandant geweest zijn. Je hebt waarschijnlijk zelfs nooit een geweer vastgehouden. Je stond gewoon bang achter de volwassen Kamajors, de échte krijgers, bevend van angst!'

Jim springt kwaad op van de getuigenbank.

'Ik protesteer! Dat is uitlokking!' roept de advocaat.

Er breekt een hoop geroezemoes uit.

'Orde! Orde!' zegt de rechter kwaad, terwijl ze hard met haar houten hamer op haar bureau timmert.

'Opschepper!' zegt de openbare aanklager nog een keer treiterend.

Jim probeert het deurtje van het getuigenhokje open te duwen, maar het zit klem. Het maakt hem nog nijdiger. 'Ik ben geen opschepper!' brult hij. 'Ik sla je op je smoel, wacht maar! Ik was de beste commandant! De béste. De volwassen Kamajors stonden achter míj, de schijterds! Ík heb de oorlog voor ze gewonnen. Ik vocht hard voor ze. Ik sla je op je bek, ouwe!' Jim is furieus. 'Als ik je te pakken krijg, sla ik je helemaal verrot.'

'Orde in de rechtszaal', roept de rechter. 'Verwijder de getuige!'

Een groep beveiligingsbeambten trekt hem uit het getuigenhokje en sleurt hem de rechtszaal uit. De Kamajorleider kijkt hem teleurgesteld aan. Maar het kan Jim niets schelen. Hij laat zich door niemand voor lafaard uitmaken. Hij hoort erkenning te krijgen voor wat hij voor zijn land heeft gedaan. Niemand heeft harder gevochten dan hij, en hij laat zich door niemand vertellen dat hij daarover moet liegen.

Buiten de rechtszaal komt Pa Saidu naar hem toe, samen met de advocaat.

'Je hebt het goed verpest, Jim!' zegt Pa Saidu.

'Ik heb niks verpest!' roept Jim. 'Zelfs jij, Pa Saidu, hebt je leven aan mij te danken. Ik heb je beschermd, ík heb voor je gevochten. En jíj hebt nu een goede baan, en geld, en wat heb ík? Helemaal niets. Ik heb mijn leven voor je geriskeerd, voor dit land. Jullie zijn ondankbaar.'

'Rustig, rustig', zegt de advocaat sussend. 'Je hoeft niet te liegen. Het is goed dat je de waarheid hebt verteld. Maar ik heb je daarbinnen nodig.' Hij wijst richting de rechtszaal. 'Heeft de Kamajorleider zelf je ooit gedwongen te vechten?' vraagt hij.

'Nee.'

'Heeft de Kamajorleider je ooit in actie gezien? Of bevelen gegeven?'

'Nee.'

'Goed, dan wil ik dat je terug naar binnen gaat en dat vertelt, want dat is de waarheid. Toch?'

'Ja', antwoordt Jim.

'Kun je dat zonder woede-uitbarsting vertellen?'

'Ja', antwoordt Jim.

'Goed, laten we dan weer naar binnen gaan', zegt de advocaat.

Voor de rechter vertelt hij dat hij de Kamajorleider pas voor het eerst zag op de dag dat hij naar het tehuis werd gebracht. De openbare aanklager pleit er bij de rechter voor

Jims hele getuigenis te schrappen omdat hij een onbetrouwbare getuige zou zijn. Dan wordt hij bedankt voor zijn getuigenis en moet hij de rechtszaal verlaten. Pa Saidu kijkt hem kwaad aan als hij wegwandelt. De Kamajorleider kijkt een andere kant op. Jim vindt dat hij een goede getuigenis heeft afgelegd. Terwijl hij het terrein van het Speciale Gerechtshof afloopt, neemt hij zich voor het advies van zijn moeder te volgen. Vanaf vandaag wil hij niets meer met de oorlog te maken hebben.

Short

'Willen alle studenten opstaan?' schalt het door de luidsprekers. De president komt met een heel gevolg het veld oplopen. Hij draagt een lange zwarte toga en een grote zwarte hoed. Ysata klapt en juicht vanaf haar zitplaats. Patricia maakt foto's van de president. Jim en Idrissa staan naast elkaar op het erepodium. Ze zijn allebei net afgestudeerd. Jim in de rechten en Idrissa in de accountancy. De president houdt een lange speech voor hun buluitreiking. Idrissa is uitgekozen om namens de studenten te spreken. Hij moet direct na de speech van de president het podium op.

Als hij voor de microfoon staat, schraapt hij zenuwachtig zijn keel. 'Ahum...., dames en heren', begint hij. Honderden toeschouwers kijken hem aan. Hij haalt een papiertje uit zijn zak en vouwt het voor zich open.

'Beste ouders, verzorgers, vrienden, familieleden, bekenden. Hartelijk dank voor jullie komst, om samen met ons deze overwinning te vieren.' Hij kijkt de menigte rond. Patricia kijkt vol trots naar hem. Dankzij haar staat hij nu op het erepodium. Dankzij haar is het hem gelukt af te studeren. Zij heeft voor zijn studie betaald, van het geld dat ze met het eethuisje verdiende. Ze heeft zelfs de alimentatie voor Andy betaald. Maar Hawa is jaloers, daarom is ze niet gekomen, terwijl hij toch graag had gewild dat zijn zoon erbij zou zijn vandaag. Ook zijn zus is er niet. Patricia is de enige op wie hij kan bouwen.

Zuchtend vouwt hij het papiertje met de speech dicht.

'Ik had een toespraak voorbereid', zegt hij aarzelend. 'Maar nu ik hier sta, en alle ouders en familieleden zie, moet me iets van het hart. Het is een feestelijke dag voor u. U hebt misschien jaren kromgelegen om uw zoon of dochter hier te zien staan vandaag. Mijn ouders...' Hij slikt even. 'Mijn ouders zijn hier niet vandaag. Mijn vader werd vermoord in de oorlog. Ikzelf werd door de ULIMO in Liberia meegenomen toen ik acht jaar was. Ik vocht zeven jaar. Mijn moeder heb ik nooit meer gezien.'

De menigte luistert zo aandachtig dat je een speld kunt horen vallen.

'Toen ik net uit de oorlog kwam, ging iedereen me uit de weg. Iedereen was bang voor me, en niemand verwachtte dat er ooit iets van mijn leven terecht zou komen. Maar vandaag sta ik hier, naast uw zoons en dochters. We zijn nu allemaal gelijk aan elkaar. Ik heb de beste resultaten van mijn faculteit. Ik doe voor niemand onder. De oorlog was zwaar, maar de echte strijd begon voor mij pas na de oorlog. Geaccepteerd worden in de samenleving was het moeilijkste gevecht ooit. Ik sta hier alleen maar dankzij één persoon. Eén vrouw die het niet uitmaakte dat ik kindsoldaat geweest ben. Eén vrouw die begreep dat ik een kind was toen ik die dingen deed. De enige in deze samenleving die begreep dat ik als kind niet beter wist. De enige die ondanks alles vertrouwen in me had. De enige die mij als mens zag. Zij is degene aan wie ik mijn succes dank.

Zonder haar was ik reddeloos verloren geweest. Patricia...
dank je wel...'
De toeschouwers klappen en Idrissa loopt het podium af.
Zijn strijd is gestreden. Met zijn bul op zak heeft hij
gegarandeerd een baan. Er is niemand die hem nu nog kan
dwarsbomen omdat hij kindsoldaat is geweest. Hij loopt
naar Patricia en geeft haar een warme omhelzing. Zij geeft
hem een betekenisvolle knipoog.
Jim komt achter hem staan. 'Dries', zegt hij vrolijk. 'Geef
me de vijf man, we hebben 't 'm gelapt. Dit...' zegt hij,
terwijl hij trots zijn bul omhooghoudt. 'Dit neemt niemand
ons meer af.'
Ysata komt op hen afgesneld. 'Jimmy! Kom, we moeten
samen op de foto!' roept ze. Ze is hoogzwanger, maar toch
draagt ze een strak topje en een kort rokje. Na al die jaren is
Ysata nog steeds niets veranderd. Jim schaamt zich
zichtbaar voor de manier waarop Ysata zich gedraagt, maar
hij laat aan haar niets merken. Nu hij is afgestudeerd wil hij
voor hen samen een huis huren. Jim is er zeker van dat
Ysata wel zal veranderen, als hij haar onder zijn hoede
neemt.
Met z'n vieren gaan ze naar een café om hun diploma te
vieren. Ze kiezen voor een bar in een dure wijk, om zo een
symbolisch nieuw begin te maken. Ze gaan de bar binnen in
een feeststemming, maar die slaat al snel om als Jim
mevrouw Tucker aan de bar ziet zitten. Ze drinkt sterke
drank en ze ziet eruit alsof ze zich in weken niet gewassen
heeft. Als ze het groepje ziet zitten, schieten haar ogen
vuur. Ze staat zo abrupt op dat de barkruk onder haar
vandaan op de grond valt. Ze rent op het groepje af. Ze heeft
het op Ysata gemunt.

Mevrouw Tucker vliegt Ysata in de haren en trekt haar op de grond. Ysata is sterk, en ze zou mevrouw Tucker makkelijk aankunnen. Jim waarschuwt haar niets te doen. Als Ysata nu uithaalt, zit ze vanavond nog op het politie-bureau. Als ex-kindsoldaat moet Ysata nou eenmaal op haar tellen passen.

Mevrouw Tucker slaat en schopt Ysata waar ze haar maar kan raken. Idrissa en Jim hebben de grootste moeite om de vrouw in toom te houden.

'Waar is meneer Tucker?' vraagt Jim, zodra hij de vrouw stevig in een houdgreep heeft.

'Die is dóód', schreeuwt mevrouw Tucker met een schrille stem. 'Het is allemaal háár schuld, het begon met haar, de kleine hoer!' De vrouw wijst met haar hoofd naar Ysata.

'Mevrouw Tucker', zegt Jim geschrokken. 'U hebt hem toch niet vermoord?'

'Ik heb hem vermoord! De lul! Ik heb hem vermóórd. Vergiftigd! Hij is morsdood.'

Geschokt laat Jim haar los. Ysata gaat snel achter hem staan om nog meer klappen te ontwijken. Jim weet niet wat hij moet doen. Eigenlijk wil hij er niets mee te maken hebben, maar hij kan nu niet meer doen alsof hij van niets weet. Als hij mevrouw Tucker aan een kruisverhoor wil onderwerpen, rent ze snel de bar uit.

Jim kijkt haar sprakeloos na. Dan zakt Ysata plotseling in elkaar. Door alle consternatie zijn de weeën begonnen. Als Ysata op haar rug gaat liggen, zien ze het hoofdje van de baby al uitsteken. Ysata gaat nu bevallen, er is geen tijd meer om haar naar een ziekenhuis te brengen. Alle barbezoekers komen in een kring om Ysata staan. Er breekt grote paniek onder hen uit. Jim blijft ijzig kalm. Tijdens de oorlog gebeurde dit soort dingen wel vaker, en hij weet wel ongeveer hoe hij een baby ter wereld moet brengen.

De bevalling duurt lang, maar uiteindelijk wordt de baby gezond en wel geboren. Het is een meisje.

'Ik wil haar Ellen noemen, naar mijn moeder', zegt Jim. Tranen wellen op in zijn ogen. 'Als mijn moeder nog geleefd had, dan was mijn leven een stuk makkelijker geweest', zegt hij geëmotioneerd. 'Ik ben letterlijk door een hel gegaan om naar de universiteit te kunnen. Al het strijkwerk, alle rotklussen, alle vernederingen. Ik heb het helemaal alleen gedaan. Ysata, echt, je moet veranderen. Voor je dochter. De oorlog is voorbij. Je moet iets van je leven zien te maken. Je bent nu een moeder, je moet je dochter het goede voorbeeld geven.'

Ysata strekt haar armen uit naar haar dochter, om de baby voor de eerste keer in haar armen te houden. 'Ik vertrouw je, Jimmy', zegt ze zachtjes. 'Ik zal mijn best doen.'

Binnen twee weken na zijn diploma-uitreiking heeft Idrissa een baan gevonden bij een bank, als accountbeheerder. Dezelfde bank als waar Alpha Sesay als loketbediende werkt. Alpha heeft zijn studie nooit afgemaakt. Trots begroet Idrissa Alpha 's ochtends in de personeelskantine. Alpha's jaloezie is van zijn gezicht af te lezen. Als Alpha ziet dat de directeur de kantine binnen komt lopen, begint hij luidruchtig te praten.

'Zo, zo, Idrissa, van kindsoldaat tot accountbeheerder. Niet slecht, jongen, wie heb je daarvoor moeten vermoorden?' zegt Alpha zogenaamd grappend.

Sommige collega's kijken nieuwsgierig in hun richting en beginnen dan met elkaar te smoezen.

De directeur komt op de twee afgelopen en schudt Idrissa de hand. 'Idrissa, welkom jongen, je bent een aanwinst voor deze bank', zegt hij hartelijk. 'Ik was op je buluitreiking. Je hebt een meesterlijke speech gegeven. Er was geen woord van gelogen, dat zie ik wel nu. En een prachtige vrouw heb je ook. Zijn jullie al getrouwd?'

'Dat is het eerste waar ik nu voor ga sparen', antwoordt hij.

'Mooi zo', zegt de directeur en dan richt hij zich tot Alpha. 'Kindsoldatengrappen wil ik hier in de bank niet meer horen, heb je dat begrepen?'

Alpha knikt beschaamd.

'Ik ken deze jongen uit de oorlogstijd', vervolgt de bankdirecteur.

Idrissa kijkt hem verbaasd aan.

De directeur knikt bevestigend. 'Jouw eenheid viel mijn dorp aan', zegt hij tegen Idrissa. 'Zimmi. Je zat bij de RUF.'

'Oh...' antwoordt Idrissa flauwtjes. Hij kan het zich niet meer herinneren.

'Hij redde ons leven', vertelt de directeur aan Alpha. 'Mijn vrouw, mijn zoon, en ik. Een aantal rebellen wilden ons vermoorden. Zomaar, omdat ze zich verveelden. Deze jongen, zo klein als hij was, hield ze tegen. Als hij er niet geweest was, had ik hier nu niet gestaan.'

Idrissa graaft in zijn geheugen, maar hij kan het zich echt niet herinneren.

'En bij de Kamajors zag ik hem opnieuw. Jaren later. Ik vocht zelf mee als Kamajor, maar ik was er niet goed in. Deze jongen hield ons veilig aan de frontlinies.'

De directeur schudt Idrissa nog een keer de hand. 'Succes jongen', zegt hij. 'Ik weet zeker dat je binnen de kortste keren onmisbaar zult zijn voor deze bank.'

'Dank u wel, meneer', zegt Idrissa beleefd. 'Ik zal u zeker niet teleurstellen.'

Jim en Idrissa ontmoeten elkaar bij de haven, waar ze nog steeds iedere week samenkomen. Op dezelfde afgesproken plek, op hetzelfde tijdstip. Samen luisteren ze naar de radio. Er is een vredesbestand bereikt in Ivoorkust. De Sierra Leoonse rebellen komen mondjesmaat terug. Jim en Idrissa gaan overal op zoek naar Short, maar de jongen is onvindbaar. Na een paar maanden komen ze Snake tegen in het getto. Na zijn terugkeer uit Ivoorkust is het getto de enige plek waar de man zich nog kan vertonen. Van Snake horen ze dat Short al in de eerste week na zijn vertrek dodelijk werd getroffen op het slagveld. Idrissa en Jim herdenken hun vriend die avond met wat bier en een kampvuur. Ze salueren naar Short in de hemel en eren zijn herinnering. 'Ik vecht nooit meer', zeggen ze tegelijkertijd.

Ontwapen ze met een toekomst

Het verhaal van Jim en Idrissa is helaas geen uitzondering. In Sierra Leone leven duizenden jongens en meisjes in armzalige omstandigheden. Ze hebben het heel moeilijk omdat ze door hun verleden als kindsoldaat uitgesloten en gewantrouwd worden.

Ze zijn voor het leven getekend door hun ervaringen als kindsoldaat, maar ze zijn ook veerkrachtig en sterk. Door hun moed en doorzettingsvermogen zijn ze erin geslaagd te overleven tijdens de gevechten.
Als de oorlog afgelopen is, vergeet iedereen hun lot. Maar dan begint hun strijd pas. Een baan krijgen, een plaats vinden in de samenleving, weer naar school gaan... Hoe moet dat als niemand je wil accepteren? Eigenlijk willen ze niets liever dan naar school gaan, vrienden maken, verliefd worden, een baan en een eigen huis. Eén ding is zeker: ze willen nooit meer terug naar de oorlog. Ze hebben hulp nodig om een toekomst op te bouwen.

Kindsoldaten zijn ook gewoon kinderen die een steuntje in de rug nodig hebben. Ook als ze al wat ouder zijn.

Wil je meer weten? Weten wat jij kunt doen? Kijk dan op www.mindtochange.nl.

Ginny Mooy